D1276803

Maude ou comment survivre à un voyage scolaire

Elizabeth Lepage-Boily

LES INTOUCHABLES

5, rue Sainte-Ursule
Québec (Québec)
G1R 4C7
Téléphone : 418 692-0377
Télécopieur : 418 692-0605
www.lesintouchables.com

DISTRIBUTION : PROLOGUE
1650, boul. Lionel-Bertrand
Boisbriand (Québec)
J7H 1N7
Téléphone : 450 434-0306
Télécopieur : 450 434-2627

Impression : Imprimerie Lebonfon inc.
Conception du logo : Paul Brunet
Mise en page : Paul Brunet
Illustration de la couverture : Estelle Bachelard
Révision : Aimée Verret
Photographie : Alexandre Giguère-Duchesne

Les Éditions des Intouchables bénéficient du soutien financier du gouvernement du Québec — Programme de crédit d'impôt pour l'édition de livres — Gestion SODEC et sont inscrites au Programme de subvention globale du Conseil des Arts du Canada.

Nous reconnaissons l'aide financière du gouvernement du Canada par l'entremise du Fonds du livre du Canada (FLC) pour nos activités d'édition.

Conseil des Arts du Canada
Canada Council for the Arts

© Les Éditions des Intouchables, Elizabeth Lepage-Boily, 2014
Tous droits réservés pour tous pays

Dépôt légal : 2014
Bibliothèque et Archives nationales du Québec
Bibliothèque et Archives Canada

ISBN : 978-2-89549-690-8
978-2-89549-691-5 (ePUB)

ADOL LEP
(QC)
14.95$ M
MAI '14

Elizabeth Lepage-Boily

Maude

ou comment survivre à un voyage scolaire

De la même auteure

Maude ou comment survivre à l'adolescence,
Les Éditions des Intouchables, 2013.

Maude ou comment survivre au mariage de sa sœur,
Les Éditions des Intouchables, 2013.

Maude ou comment survivre au temps des Fêtes,
Les Éditions des Intouchables, 2013.

À mes parents

Prologue

Je hais les voyages scolaires. Et je hais encore plus tous ces étudiants fébriles qui attendent anxieusement ce moment en rayant les jours sur le calendrier comme s'il était question d'un tournant dans leur vie. Des heures assis dans un autobus bondé d'adolescents surexcités, à regarder des films minables et à chanter des complaintes harassantes ; des guides touristiques hyperactifs qui arrivent à excéder même les plus motivés ; des buffets où tout est frit et immangeable ; un hôtel miteux que même les coquerelles ont déserté ; des professeurs qui tentent d'être à la fois nos *chummy* et nos supérieurs, mais n'arrivent à assumer ni l'un ni l'autre de ces rôles ; enfin, une ville immense dans laquelle on nous laisse nous perdre, et potentiellement risquer nos vies, tout ça grâce à l'autorisation écrite de nos parents. Le tournant d'une vie ? Je ne crois pas, non.

Chapitre 1

L'exode

Mon corps endormi fait des bonds sur le matelas lorsque le réveil sonne aux aurores. Emilia est responsable de ce chaos matinal. Elle saute à pieds joints à quelques centimètres de ma tête en hurlant : « Réveille-toi, *chiquita* ! New York nous attend. » J'ai bien envie de lui répondre que personne ne nous attend et encore moins une ville de huit millions d'habitants (chiffre approximatif et aléatoire), mais je ne trouve pas la force d'ouvrir la bouche pour prononcer quoi que ce soit. Je suis encore beaucoup trop comateuse pour me hasarder à faire de l'ironie. Un seul coup d'œil au réveil me rappelle qu'il n'est que trois heures trente du matin et que même le soleil n'a toujours pas trouvé la force de déployer ses premiers rayons. Si la boule de feu géante, raison principale de notre survivance, a décidé qu'il faisait toujours nuit, je suis d'avis que nous devrions obtempérer et rester couchées. Emilia ne semble par contre pas tout à fait d'accord avec moi, puisqu'elle galope maintenant aux quatre coins de sa chambre en entonnant *New York*,

New York de Frank Sinatra. Il est vrai que j'aurais pu refuser de prendre part à ce voyage scolaire et m'éviter un prodigieux lot d'exaspérations, mais cette escapade en sol américain fait partie de mon processus de socialisation — c'est du moins ce qu'Emilia s'est évertuée à me faire croire au cours des deux derniers mois, affirmant que mes efforts de la dernière année étaient considérables, certes, mais que le voyage étudiant était un passage obligé… et nécessaire. Évidemment, j'ai longtemps épilogué sur les définitions d'« obligé » et de « nécessaire », mais mon intellectualisation de la situation n'a pas suffi à convaincre mon amie. Celle-ci m'a plutôt persuadée que l'exil était un impératif dans le cadre de mon processus d'assimilation. Bien entendu, je sais que la vraie raison de son insistance réside dans le fait qu'elle veut son esclave à ses côtés pour arpenter la 5e Avenue (quelqu'un pour porter ses sacs, peut-être ?) et l'écouter s'extasier sans trop broncher face à tant d'opulence et de beauté. Peut-être que, si la destination avait été différente, j'aurais joué à l'affranchie, mais, comme la Grosse Pomme est un endroit que je rêve de visiter depuis longtemps (j'aurais préféré que ce soit dans d'autres circonstances que dans l'effervescence de pérégrinations d'étudiants), j'ai décidé d'accepter, malgré mes réticences préalables. Mais, ce matin, je reconsidère ma brillante décision quand une adolescente surexcitée hurle et saute dans tous les sens.

J'entends Évelyne arpenter d'un pas lourd le premier étage, qui vient probablement tout juste de se réveiller en entendant sa fille s'égosiller. La relation entre Emilia et sa mère fut plutôt mouvementée au cours des derniers mois. Ma meilleure amie a été particulièrement ébranlée par le divorce de ses parents. Évidemment, il ne s'agit pas d'une situation facile à vivre pour qui que ce soit, mais j'aurais cru que l'idée d'avoir deux maisons, plus de cadeaux à Noël et à sa fête, et des parents pénitents et désireux de se faire pardonner (donc plus malléables) aurait plu à la gazelle. Mais elle est devenue rancunière et aigrie. Elle a même failli fuguer, une fois. Heureusement pour ses parents et elle, elle a une amie assez raisonnée qui est arrivée à la convaincre que s'enfuir n'arrangerait rien et que ce serait même plutôt con. Sa mère a appris ce que j'avais fait (parce qu'une mère, ça finit toujours par tout savoir ; ne me demandez pas comment, c'est un secret qu'elles préservent depuis la création de l'humanité), le geste que j'avais empêché sa fille de poser et l'inquiétude que je lui avais ainsi épargnée. Elle m'a pris à part le mois dernier pour me remercier. Elle m'a dit qu'Emilia était chanceuse d'avoir quelqu'un comme moi dans sa vie, quelqu'un de terre à terre et de réfléchi. Elle a même ajouté que j'étais une personne d'exception. Elle était si intense que je n'ai eu d'autres choix que d'en venir à blâmer la ménopause. Il n'y a que les hormones qui puissent encourager une mère à devenir si grave et honnête avec l'amie de sa fille de quinze ans. Elle a aussi appelé Sylvie pour la complimenter pour mes bonnes valeurs et ma loyauté. Ma mère aussi a blâmé la ménopause (je ne suis pas la fille du facteur). Mais, plus philosophe que moi, elle m'a conseillé d'accepter les flatteries plutôt que de les chasser du revers de la main en considérant leur émissaire comme inapte. Je me sens donc encore plus responsable de la Latina qu'avant. Je crains que ses prochaines erreurs puissent m'être reprochées ; pourquoi n'étais-tu pas là pour l'en empêcher ? Qu'est-ce que tu faisais pendant que ta meilleure amie gâchait sa vie ? Probablement que je dramatise, mais Emilia est fragile. Elle a besoin d'encadrement et, comme elle refuse maintenant celui de ses parents, je deviens l'adulte responsable par intérim (il faut vraiment être en pénurie d'adultes responsables pour se rendre jusqu'à moi !).

Aujourd'hui, c'est par un coussin, que je catapulte dans sa direction, que se manifeste mon soutien psychologique.

— Ayoye ! lance-t-elle quand ledit coussin frappe sa petite tête blonde.

Mais l'impact n'est pas suffisant pour diminuer son émoi. Elle me renvoie le projectile et enchaîne avec une autre ballade à thématique new-yorkaise que je ne reconnais pas. J'ai déjà assez de Jasmine qui chante pour m'énerver, je n'ai pas besoin de choristes supplémentaires. Je me dis que, si j'avais une machine à voyager dans le temps, je trouverais une excuse pour ne pas participer au voyage à New York, ne remplirais pas la demande de passeport ni la feuille d'inscription, et pourrais ainsi dormir ce matin, mais, comme le docteur Emmett Brown n'est qu'un personnage de fiction et la DeLorean, une idée loufoque de Robert Zemeckis, je commande à mes membres engourdis de bouger malgré l'heure matinale. Évidemment, ils ne répondent pas immédiatement. Il leur faut plusieurs secondes, voire une longue minute, avant d'accepter de bouger. Emilia s'agite de plus belle lorsqu'elle me voit m'activer enfin.

— Tu ne te rends pas compte que ce soir nous serons à NEW YORK?

Elle a crié si fort que mes tympans se sont liquéfiés (… ou presque).

Je suis heureuse d'avoir la chance de visiter cette ville, mais je ne suis assurément pas excitée comme ma meilleure amie, maintenant hystérique.

— Calme-toi, Emilia ! dis-je en me prenant la tête, lourde comme un boulet de canon, dans mes mains.

Bien que mon commentaire ne soit que rhétorique, je parviens à apaiser légèrement la gazelle, qui vérifie maintenant (en silence !) le contenu de sa valise. Il ne faudrait surtout pas qu'elle oublie un vêtement qu'elle avait prévu de porter dans la métropole, nous en viendrions au scandale international, et je n'aurais pas la force de gérer une telle crise. J'enfile des jeans, un t-shirt, un chandail à capuchon, des bas et des espadrilles avant d'emporter mon sac à dos jusqu'à la porte d'entrée où Évelyne nous attend, ronchonneuse, café à la main. Nos airs abattus se saluent et une Emilia pimpante vient nous rejoindre en sifflant *Les Champs-Élysées*, chanson qui n'a aucun lien avec notre destination, ce qui ne semble pas beaucoup, par contre, gêner la frénésie de ma meilleure amie. Même si elle pèse une tonne, son immense valise rose à roulettes semble tout à fait légère lorsqu'elle la traîne avec grâce jusqu'à la voiture.

Il fait particulièrement froid aujourd'hui. Je m'aperçois que je me fais la même remarque tous les ans lorsqu'arrive la semaine de relâche. Comme si le printemps était synonyme de chaleur et que les jours précédant son éclosion se devaient de porter de bonnes nouvelles. Pourtant, chaque année, une tempête nous surprend en mars et, chaque année, tous les Québécois sont découragés de voir la neige couvrir à nouveau les rues et ensevelir les bourgeons. Lors du journal télévisé de fin de soirée, une reporter stagiaire, à qui on aura relégué les sujets insignifiants qui ne plaisent pas aux vétérans, interrogera, dans le plus grand sérieux, un environnementaliste ou un agriculteur qui dira craindre pour la couche d'ozone ou pour ses récoltes saisonnières. Le spectateur s'affolera alors pour une chose dont il est pourtant témoin annuellement. On oublie vite. Dès que les premiers rayons de mai nous auront réchauffés, nous serons fin prêts à nous plaindre de la canicule de juillet. Nous sommes un peuple accueillant, festif, créatif, mais nous ne sommes pas les plus conciliants, ni les plus conséquents. À chacun ses forces.

Les minces couches de vêtements que nous portons sur nos épaules expliquent aussi pourquoi la fraîcheur du mois de mars nous étrangle ainsi. Nous déposons nos bagages dans le coffre de notre taxi et nous nous précipitons dans l'habitacle qu'Évelyne a préalablement réchauffé grâce à une invention révolutionnaire — cauchemar des écologistes, joyau des lâches — : le démarreur à distance.

L'hiver a considérablement freiné les ardeurs de la gazelle. Les mains dans les poches de son chandail, elle grelotte en laissant la chaufferette détendre ses muscles frigorifiés. Je profite de cet instant de répit pour fermer les yeux et gagner quelques secondes de ce doux sommeil dont on m'a violemment tirée. Comme l'école n'est qu'à une quinzaine de minutes à pied, il n'en faut que deux ou trois à Évelyne pour rejoindre le stationnement, couvert d'élèves de quatrième secondaire impatients d'apercevoir les lumières de Broadway. Ma sieste n'est donc pas particulièrement revigorante. Déjà réchauffée et à nouveau surexcitée, Emilia s'extirpe du véhicule pour rejoindre Sandrine et Ellie qui attendent, visiblement enthousiastes, d'entrer dans l'autobus qu'on nous a nolisé. La Latina en oublie même sa valise derrière. Sa servante de meilleure amie (en l'occurrence, moi) s'occupe donc des bagages de Sa Majesté pendant que celle-ci papote et sautille en lâchant de petits cris d'excitation, de concert avec ses copines. Comme sa fille ne daigne venir la saluer, Évelyne énonce ses consignes et dernières recommandations à sa distinguée remplaçante (en l'occurrence, encore moi) :

— Écoutez les professeurs, ne quittez pas le groupe et ne suivez surtout pas des gens que vous ne connaissez pas.

— Oui. Ne t'inquiète pas, réponds-je en faisant la bise à notre chauffeuse.

Alors que je m'apprête à rejoindre mes camarades, Évelyne m'interpelle à nouveau.

— Maude ?

— Oui, dis-je en me retournant vers la mère de mon amie.

— Tu surveilles ma fille ? demande-t-elle alors d'un ton inquiet.

— Bien sûr, je ne la lâche pas des yeux, rétorqué-je en lui adressant un clin d'œil rempli de non-dits qu'elle comprend, instinctivement.

Je pense qu'Évelyne en est venue à oublier que je n'ai que quelques mois de plus que sa fille. J'ai parfois l'impression qu'elle me prend pour la gardienne de son adolescente en pleine crise. Mais, comme c'est aussi la perception que j'ai souvent de notre relation, je n'en fais pas de cas.

Quand elle me voit trimbaler nos sacs tel un mulet, Emilia accourt vers moi pour me prêter main-forte. Puisqu'il ne me reste plus que quelques mètres à parcourir, son aide ne s'avère qu'apparence.

— J'ai cru comprendre que ton beau-frère sexy nous accompagne, lance alors Sandrine en guise d'introduction.

Il semblerait que les civilités ne sont plus d'usage lorsqu'on parle de beaux gars…

J'avais oublié que Max faisait partie du voyage lui aussi (probablement que l'heure trop matinale joue sur ma mémoire à court terme).

Ariel a appelé à la maison il y a environ une semaine pour m'annoncer que son époux avait accepté de remplacer un professeur qui avait eu un empêchement. Depuis, je maudis cet « empêchement » qui me forcera à supporter le trop bronzé Maxime pendant trois longues journées en dehors du pays. Même après d'innombrables tentatives de sa part pour parvenir à m'amadouer, je ne suis jamais arrivée à le piffer. Il parvient toujours à m'exaspérer davantage que la fois précédente. Maintenant que sa femme est enceinte, il a décidé qu'il devait soutenir financièrement la famille. Il a donc accepté un travail d'entraîneur privé le soir dans un gym. Évidemment, nous sommes tous conscients qu'il le fait pour reluquer les culs bien fermes de la professeure de yoga et de ses élèves, mais nous maintenons cette information secrète pour ne pas effaroucher la future maman. Il paraît que *ce qu'on ne sait pas ne fait pas mal…* (Un proverbe qui, comme tous les proverbes, possède des failles évidentes.)

La nouvelle professeure de français, qui nous enseigne la grammaire et ses nombreux travers depuis janvier, nous demande de nous rassembler pour qu'elle puisse nous indiquer la procédure à suivre. Elle monte sur une caisse de bois pour que les élèves les plus loin puissent l'apercevoir.

— Bonjour, tout le monde ! Est-ce que vous allez bien ? hurle-t-elle à la manière d'un humoriste au début d'un spectacle.

Comme il est à peine quatre heures du matin, les réactions de la foule sont plutôt indolentes. Elle décide de ne pas réitérer sa question et poursuit son discours.

— Comme l'an dernier il y a eu des…

Elle réfléchit quelques secondes au mot correct à employer et enchaîne.

— … incidents dans l'autobus entre des filles et des garçons, nous avons décidé cette année que vous vous assoirez avec les personnes qui partageront votre chambre.

Un mouvement de colère s'empare alors du troupeau. Comme les chambres ne peuvent pas être mixtes — pour des raisons évidentes, inutile de vous expliquer ce qui arrive quand de jeunes filles partagent les chambres de jeunes garçons pubescents —, cette annonce-choc signifie qu'une fille ne pourra pas être assise avec un garçon et inversement pendant une période d'environ huit heures. Une déclaration qui, personnellement, ne m'indigne pas particulièrement, mais qui en horripile plusieurs. Certains beuglent des « choooouuuu » alors que d'autres se révoltent, poing en l'air, et crient à l'injustice.

— Ce n'est pas juste, madame ! Pourquoi devrions-nous payer pour les autres ? déclare d'une voix puissante une militante étudiante à quelques pas de moi.

— Bienvenue dans la vie en société, ma belle, répond alors la professeure, imperturbable. Il y a toujours quelqu'un qui paie pour les gaffes des autres et, dans le cas présent, c'est vous. Mais comptez-vous chanceux, on aurait pu tout simplement annuler le voyage.

J'ignore ce que les jeunes de quatrième secondaire de l'an dernier ont fait (ou ce que le couple en question a fait, parce que ce sont souvent une ou deux personnes qui commettent les erreurs et le groupe entier qui doit en subir les conséquences), mais je ne suis aucunement intéressée à apprendre la teneur de leurs actes. De toute façon, j'avais déjà prévu de m'asseoir avec Emilia ou, devrais-je dire avec un minimum de franchise, Emilia m'avait déjà avertie que j'avais prévu de m'asseoir avec elle.

La pauvre enseignante s'efforce de contrôler la fièvre — complètement injustifiée — de la foule. Elle arrête de parler pendant quelques minutes et dévisage sévèrement les quelques détracteurs. J'imagine qu'elle a l'intention de — littéralement — refroidir nos ardeurs. Bientôt, l'une des leaders, transie de froid et excédée par les manifestants et leur combat perdu d'avance, lève la voix :

— OK, la gang, si on veut partir à New York, je crois qu'on devrait se taire.

L'enseignante la remercie et poursuit ses explications :

— Maxime a entre ses mains les noms classés par groupes de quatre. Vous avez fait des suggestions dans les classes, mais il se peut que vos demandes aient été refusées.

Je peux percevoir la peur dans le regard de Sandrine, qui craint de devoir partager sa chambre avec d'autres personnes qu'Ellie, Emilia et moi (elle s'imagine probablement en ce moment qu'il s'agit de la pire chose qui puisse lui arriver dans toute sa vie ; l'espèce adolescente a de toute évidence un problème de perception des proportions et d'intensité des réactions...). La professeure de français nous demande d'agir dans le calme, mais plus personne ne l'écoute et tous se jettent sur mon beau-frère pour connaître la teneur de leur calvaire. Sandrine se fraie un chemin jusqu'à Max, laissant derrière quelques blessés. Quand elle hurle sa joie dans les oreilles du mari de ma sœur, je connais l'identité de mes cochambreuses. Elle nous rejoint et saute dans les bras d'Ellie comme si elle venait de remporter une médaille olympique. Nous attendons ensuite en rang pour déposer nos bagages dans la soute et nous nous enfonçons dans l'autobus. La frénésie est palpable. La plupart des passagers n'ont jamais visité New York, mais beaucoup en ont rêvé. Je ne fais pas exception à la règle dans ce cas-ci. New York est un symbole en soi, un symbole de réussite et de richesse.

Nous sommes les dernières à être nommées, donc nous héritons des derniers sièges. Nous devons nous contenter de ceux derrière les accompagnateurs, qui se sont réservés, évidemment, le premier en avant. Sandrine et Ellie s'empressent de s'installer le plus loin possible des adultes, alors qu'Emilia et moi nous retrouvons pratiquement collées sur eux. La Latina est beaucoup trop fébrile pour se préoccuper de sa place. J'en profite donc pour me camper près de la fenêtre. Si le voyage est long et pénible, j'aurai au moins un panorama pour me distraire. Quand tous les élèves sont bien installés, le chauffeur démarre l'autocar et donne le coup d'envoi à notre voyage scolaire. Les jeunes sont tous pris d'une folie inexplicable lorsque l'autobus se met à bouger. Certains crient, d'autres applaudissent, mais tous sourient, comblés à l'idée de voir de leurs yeux la statue de la Liberté. Je suis, pour ma part, plutôt calme. Je n'ai aucune envie de m'égosiller, sachant que je dois demeurer assise pendant plusieurs heures dans un autobus avec cinquante autres élèves impatients d'entrevoir enfin les gratte-ciels newyorkais. Quand j'explique la raison de mon cynisme à ma meilleure amie, elle me dit que je suis de mauvaise foi.

— Ce n'est pas de la mauvaise foi, ce n'est que pure logique.

Après que j'ai prononcé ces mots, le groupe se met à chanter. Le genre de rengaines qui me hérissent le poil, qui m'agressent au tréfonds de mon âme. Le fait qu'Emilia participe à la cacophonie me dégoûte d'autant plus. Je la regarde comme si elle venait de me trahir. Elle me sourit tendrement en mimant la bouche d'un crocodile avec ses bras. Je me retourne alors vers la fenêtre sous les vociférations de camp d'une bande d'attardés. J'ai presque réussi à me créer une bulle suffisamment épaisse pour ne plus entendre les « J'ai vu des crocodiles et des orangs-outans, des affreux reptiles et des jolis moutons blancs », quand la tête de Marie-Josée apparaît entre la fenêtre et le banc devant moi.

— Tu ne chantes pas ?

Je me retiens très fort pour ne pas répondre quelque chose du genre : « Mais quelle force de déduction incroyable ! Ne viens pas me dire que tu n'as qu'un bac en enseignement pour être si perspicace ! Tu aurais dû être détective privé ou psychopédagogue. »

Je décide qu'elle n'a pas encore mérité mon impudence, alors je rétorque ce qu'elle attend de moi :

— Non, je n'aime pas beaucoup chanter.

Ma réponse la satisfait et elle retourne à ses affaires, probablement encouragée aussi par mon austérité et mon évidente fermeté. Je n'ai rien contre cette femme en particulier. Elle est même plutôt gentille, mais je me méfie des professeurs qui tentent sournoisement d'établir une certaine camaraderie avec leurs élèves ; il y a toujours anguille sous roche dans ce genre de relation. Je suis sur mes gardes avec tous les enseignants, et les autres membres du personnel d'ailleurs. Je ne comprends pas comment on peut terminer ses années d'études au secondaire et revenir y passer l'âge adulte. Jamais je ne remettrai les pieds dans cette école après la cinquième secondaire, vous avez ma parole. Et surtout pas pour un salaire moyen, une instabilité contractuelle, un chômage saisonnier et une autorité bancale auprès de jeunes qui vous méprisent. Non, vraiment, je ne comprends pas qu'on puisse volontairement s'imposer une telle torture.

Il faut que j'attende au moins une demi-heure avant que les élèves se taisent enfin et quarante-cinq bonnes minutes avant que mes oreilles ne cessent de bourdonner. Quand l'autobus plonge dans un silence exorcisant (les enfants sont épuisés à force d'avoir trop crié), je ferme les yeux et, ma tête appuyée contre la vitre, je tente de reprendre quelques minutes de sommeil. J'en aurai grandement besoin pour arriver à survivre à cette virée new-yorkaise avec une bande d'adolescents laissés à eux-mêmes qui ont suffisamment d'argent de poche et de mauvaises intentions pour compromettre le voyage (et, surtout, mon bien-être).

Je m'extirpe des profondeurs de l'inconscience quand l'autobus s'arrête brusquement. Emilia est couchée sur mon épaule et bave sur mon chandail. Je la repousse quand Marie-Josée se lève et s'adresse au groupe d'une voix autoritaire.

— Nous sommes arrivés aux douanes américaines. Avant que nous nous mettions en ligne, nous vous laissons quelques minutes de liberté à la boutique hors taxe.

Il semblerait que je ne sois pas la seule à s'être laissé bercer par le ronronnement du moteur. La plupart des élèves se frottent les yeux en se dirigeant nonchalamment vers la sortie. Mes jambes sont engourdies et ma bouche est pâteuse. Je m'étire sur mon siège avant d'accompagner mes amies à l'extérieur. Il ne fait pas beaucoup plus chaud à quelques pas des États-Unis que dans notre patelin. Heureusement, le soleil a décidé de se pointer et réchauffe quelque peu nos corps paresseux. Ellie nous tire jusque dans le magasin où on nous exempte, semble-t-il, de payer toutes taxes provinciales et fédérales. Les fortes odeurs de parfum, d'alcool et de tabac (finalement les mêmes effluves exotiques que dans un marché aux puces de banlieue un samedi matin) embaument la boutique. Certains ont une liste d'articles que leurs parents les ont sommés d'acheter, mais la plupart se dirigent déjà vers la caisse pour s'approvisionner en nourriture. Évidemment, on est loin des aliments santé, biologiques et raffinés. Je suis convaincue que la Toblerone géante n'est pas considérée par le Guide alimentaire canadien comme un apport légitime en fibres, malgré ce qu'Ellie semble en penser.

— Je suis certaine que le nougat appartient à la catégorie des viandes et substituts, nous dit-elle, tentant de se convaincre en regardant les ingrédients sur le revers de l'emballage.

— Tu as probablement raison, répond Sandrine en s'emparant elle aussi de l'une des palettes de sept cent cinquante grammes.

Après que nos amies ont payé leur confiserie, nous sortons de la boutique, respirons quelques minutes l'air frais du Québec avant de reprendre place avec les autres dans l'autobus. Quand les professeurs se sont assurés que nous n'abandonnions personne derrière, nous nous dirigeons vers les douanes. Marie-Josée se lève alors dans l'allée et prend un air solennel.

— Là, je vous avertis. Je n'en veux pas un qui fasse une blague sur une bombe cachée dans son sac. S'il y a un seul moment où vous devez être irréprochables, c'est maintenant. Il ne leur suffit que d'un petit doute à notre endroit pour nous renvoyer chez nous, et on n'a pas fait tout ce chemin pour revenir au bercail sans avoir au moins vu Times Square.

Tous les étudiants écoutent la professeure avec un grand respect. Même les plus dissipés ont compris le sérieux de la situation. Comme il y a plusieurs autobus qui attendent en file devant nous, notre enseignante nous spécifie que nous avons encore le droit de nous énerver pour les quelque trente prochaines minutes, mais que, dès qu'elle reprendra la parole, ce devra être le silence complet. Elle nous demande également de sortir notre passeport pour que le travail du douanier se fasse plus rondement le temps venu. Nous plongeons donc tous la tête dans notre sac pour trouver ledit document et constatons, en nous montrant nos photos respectives, que nous avons l'air, tous sans exception, de tueurs en série ou de criminels recherchés. Je suis persuadée que même mère Teresa devait avoir l'air d'une tortionnaire sur sa photo de passeport.

Après un quart d'heure d'attente et de commentaires sur les bouilles dépitées de nos confrères, une panique s'installe à l'arrière du véhicule. Bientôt, on comprend qu'une fille a oublié son passeport chez elle. Ses amis essaient de la réconforter, mais ils sont tous bien conscients du sort qui l'attend : l'exil. Maxime, Marie-Josée et une autre professeure inspectent une nouvelle fois les bagages à main de la petite esseulée pour s'assurer qu'elle n'a pas tout simplement mal regardé, mais finissent par abdiquer et l'accompagnent à l'extérieur. Nous l'observons tous, à travers les grandes fenêtres de l'autobus, vider frénétiquement sa valise, qu'on a sortie de la soute. À genoux sur le trottoir, elle fouille convulsivement chaque recoin de son sac comme si sa vie en dépendait. Tristement pour elle, sa recherche ne semble pas très fructueuse. Elle pleure quand l'enseignante pose sa main sur son épaule pour lui faire comprendre que l'aventure se termine ici pour elle. L'image d'une concurrente d'une téléréalité, qui considérait cette première apparition télévisuelle comme une sortie flamboyante de l'anonymat, me vient à l'esprit.

Entre-temps, de notre côté de la caméra, un douanier ascensionne les marches de notre autocar québécois. Il enlève ses lunettes fumées miroir d'un geste réfléchi, pose une main sur sa hanche et nous toise, les uns après les autres, comme s'il cherchait un coupable. Quand il nous a tous dévisagés et a (probablement) constaté le peu de danger que nous représentons, il nous ordonne (de la manière la plus rustre et discourtoise imaginable) de sortir notre passeport et une carte d'identité. On ne peut pas dire que les douaniers américains dégagent une grande sympathie et un bonheur contagieux. En comparaison, même les employés de la cafétéria et les juges condescendants dans les émissions culinaires ont l'air de Calinours.

Comme je suis assise sur le premier banc, j'ai la chance inouïe d'être la première victime du gabelou. Même si, évidemment, je n'ai rien à me reprocher, je suis nerveuse de le voir étudier si minutieusement mes papiers. Il promène ses yeux sur mon visage et ma photo de passeport pour s'assurer que je suis bien celle que je prétends être. Après quelques secondes d'intenses analyses, il me remet le tout sans un mot, puis passe à Emilia. La Latina est, elle aussi, visiblement troublée par l'aspect protocolaire et dangereusement sérieux de la chose. Elle dépose son passeport dans les mains du douanier, en tentant d'éviter de le regarder droit dans les yeux. C'est plutôt délicat comme situation : si on le fixe dans les yeux, il aura l'impression qu'on le provoque et, si on détourne le regard, il croira que nous avons quelque chose à cacher. Emilia choisit de jouer la fille fautive, probablement trop intimidée par l'homme pour oser le regarder.

Comme si la présence de ce dernier n'était pas suffisamment perturbante, une douanière le rejoint peu de temps après avec un chien pisteur. Elle nous commande de ne pas bouger et, surtout, de ne pas distraire l'animal *on duty*. Nous sommes tous sidérés par le degré d'intensité du moment. Le berger allemand se promène dans l'allée en reniflant le sol et l'extrémité des bancs, probablement à la recherche de drogues ou d'explosifs. Sans trop de surprise, le chien ne trouve rien qui puisse nous incriminer. Même si eux non plus n'ont pas découvert de bandits dans nos rangs, les douaniers sortent de l'autobus sans une salutation polie, sans un commentaire sympathique pour nous remercier de notre collaboration ou pour nous souhaiter un bon séjour en terre américaine. Ils repartent comme ils sont venus ; glaciaux et impassibles.

Au moment de repartir, nous lançons un dernier coup d'œil à la jeune lunatique qui a oublié le seul papier essentiel à son excursion. Elle est maintenant assise sur sa valise dans le froid et pleure. Marie-Josée nous explique que ses parents viendront la chercher bientôt et que l'une des adultes accompagnatrices restera avec elle. En dévisageant la pauvre expatriée, nous remercions tous intérieurement nos parents, qui ont insisté à quarante-trois reprises pour qu'on vérifie qu'on n'oubliait pas notre passeport sur la table de la cuisine.

Bien que sa situation nous attriste, nous ne pouvons rien pour elle. Nous n'avons d'autres choix que de l'abandonner et la laisser se faire dévorer par les loups (c'est à peine une métaphore à la lumière du regard sanguinaire, avide de peur et de haine, des douaniers américains et de leur berger allemand).

L'autobus se remet en marche et, dès que nous avons traversé la frontière, tout le monde se met à applaudir.

Lorsque les acclamations diminuent suffisamment pour qu'on l'entende, Marie-Josée reprend la parole :

— Comme nous venons de perdre l'un de nos superviseurs, nous vous demandons d'être encore plus disciplinés que vous ne l'auriez été et de ne pas nous forcer à jouer à la police, précise-t-elle, intransigeante. Nous allons nous arrêter pour déjeuner dans quelques minutes. Tenez bon, les quelques-uns qui sont en train de s'autodigérer.

Elle lance un regard de compassion à quelques étudiants dont le ventre gargouille bruyamment à l'avant. Je commence aussi à avoir faim, je dois l'admettre. Les deux (immenses) morceaux de chocolat au nougat que m'a gentiment offerts Ellie n'ont fait que m'ouvrir davantage l'appétit.

— Je n'en reviens pas qu'on vient d'abandonner l'une des nôtres, dit alors Emilia, comme soudainement sortie d'une transe.

J'imagine qu'elle parle de la pauvre Aurore (très mauvais nom, en passant, à donner à un enfant au Québec; Aurore l'enfant martyre a brisé ce superbe prénom à jamais pour tout un peuple...) qu'on vient de laisser à la frontière. Je ne saisis pas le sens de cette humanité inattendue, surtout que la Latina n'a jamais entretenu une relation particulièrement amicale avec ladite expulsée. Emilia perçoit rapidement la perplexité sur mon visage et décide de clarifier son état d'esprit.

— Je sais pas, je suis juste sous le choc de la manière dont on l'a larguée.

Et, pendant les vingt à trente minutes qui suivent, Emilia argumente sur le manque de sensibilité de l'espèce humaine, notre égocentrisme rebutant et la manière dont nous interagissons conventionnellement en société. Je suis muette face à tant de lucidité et de propos charitables de la part de ma meilleure amie. J'aurais aimé intervenir, commenter ses paroles et les approuver, mais je suis beaucoup trop obnubilée par sa perspicacité pour ouvrir la bouche.

Quand elle aperçoit le gros M jaune et qu'elle s'écrie de concert avec ses acolytes: « McDonald's, nous voici », je comprends que cet instant de sagesse était probablement dû à la faim et que je viens d'assister à quelque chose d'étrange et de troublant qui ne se reproduira jamais. Même Sandrine, qui a ouï une partie de son intense réflexion, me demande si elle se sent bien parce qu'« elle n'a pas l'air normale ». Non, Emilia qui discourt sur la compassion humaine, ce n'est pas normal. Fort heureusement, il semblerait que ce ne soit qu'une bulle au cerveau provoquée par un manque de glucides, ce que le clown Ronald s'apprête à régler. Je préfère mon Emilia superficielle à une Emilia militante, c'est beaucoup moins déroutant et mille fois plus amusant.

Après deux bouchées d'Œuf McMuffin, elle a déjà oublié le sort de l'enfant martyre. Bien entendu, il a fallu attendre de très longues minutes pour que l'unique cuisinier et les deux caissières du restaurant de la petite ville frontalière arrivent à servir tout le monde. On pourrait croire qu'une franchise d'une chaîne aussi connue située, qui plus est, en bordure de l'autoroute serait accoutumée à recevoir autant de clients à l'improviste, mais, si on se fie au regard apeuré des quelques employés en poste ce matin, la situation est inhabituelle. Il y a assurément des mystères humains que je ne résoudrai jamais…

Comme mon chocolat chaud et mon muffin étaient des choix plus judicieux (du point de vue du cuisinier, qui n'avait pas à gérer mon absorption de sucre), j'ai déjà terminé de manger depuis longtemps quand Emilia, Ellie et Sandrine prennent les dernières bouchées de leur petit déjeuner gastronomique, dégoulinant de saveurs.

De retour dans l'autobus avec des effluves de gras et de sel qui nous collent à la peau, nous nous installons aussi confortablement que possible pour regarder un film. Comme le long métrage en question a été sélectionné par les organisateurs du voyage — des gens qui n'ont pas, visiblement, une très grande culture cinématographique —, nous devons subir (le mot est bien choisi ici) *John Carter*. Ce film d'aventures et de science-fiction est l'un des pires échecs de l'histoire des studios Disney. Avec un budget astronomique de deux cent cinquante millions de dollars (en excluant le coût de l'immense campagne publicitaire qui en accompagnait la sortie), le film n'est parvenu qu'à récolter soixante-dix millions en Amérique du Nord.

— L'un des présidents ou des directeurs de Disney a même été congédié quand le conseil exécutif a pris conscience de l'immense déficit de la production, expliqué-je à Emilia, qui paraît très peu intéressée par les informations (pourtant pertinentes) que je lui communique.

— Pourquoi tu es au courant de tout ça ? entends-je sans trop savoir si on s'adresse à moi.

Je vois alors apparaître une partie du visage de Marie-Josée dans la cavité entre le siège devant moi et la fenêtre.

— Parce que je lis beaucoup sur le sujet. J'aime le cinéma. Le cinéma américain, principalement.

Elle semble curieusement interpellée par mes centres d'intérêt, mais, comme le chef-d'œuvre cinématographique débute à l'instant, elle se retourne vers le téléviseur et promet de reprendre la conversation à un autre moment.

Le film est aussi mauvais à la seconde écoute. Je ne comprends pas comment certains étudiants peuvent être rivés à l'écran, attendant impatiemment le dénouement de l'histoire de ce personnage « faxé » sur Mars. Bien entendu, Emilia n'est plus intéressée par ce qui se passe à l'écran depuis longtemps. Le gars n'était « pas assez beau », selon ses critères (désolée, Taylor), et l'histoire « trop compliquée ». Elle joue donc sur son iPad à *Angry Birds* version *Abra-Ca-Bacon*, tout en consultant compulsivement son compte Facebook.

Quand la torture cinématographique se termine enfin, il est déjà temps de nous dégourdir les jambes dans une halte routière. La température est plutôt clémente à l'extérieur. Certains audacieux osent même enlever leur chandail pour se prélasser au soleil en simple t-shirt (il faudrait peut-être leur annoncer que notre destination n'est pas Miami...). Pendant que les fumeurs carbonisent leurs poumons et que les couples, outrageusement séparés pendant le voyage, consomment leur quantité de salive mutuelle quotidienne, nous marchons dans un sentier à l'arrière de la bâtisse principale. Je suis devant avec Ellie alors que Sandrine et Emilia discutent en retrait. Elles argumentent plutôt violemment. J'ai envie de les interrompre pour leur demander ce qui les rend soudainement si chatouilleuses, mais Ellie élève alors la voix :

— Qu'est-ce qu'ils font, hein ? dit-elle en désignant un groupe de quatre garçons qui s'acharnent sur un pilier en bordure de la route.

Ellie nous fait signe de nous approcher et de ne pas parler trop fort. Il ne faudrait pas que nous nous fassions prendre à les espionner, nous ne saurions quoi répondre pour notre défense. Nous nous embusquons dans les buissons et tentons d'entendre leur conversation. Après quelques secondes, nous comprenons qu'ils essaient désespérément d'arracher un panneau et de le ramener dans l'autobus comme un trophée de chasse. Il y a quelque chose dans la signalisation routière qui attire beaucoup les jeunes hommes. Voler un cône ou une pancarte aux abords de la chaussée est une chose d'une virilité consommée. C'est du moins ce que j'ai compris après avoir vu tant de garçons avec ce genre d'objets dans leur case à l'école ou qui en rapportaient chez nous pour impressionner mes sœurs (comme un chat qui offre un oiseau mort à son maître en guise de présent). Pas besoin de vous dire que ce genre d'« exploit » ne m'impressionne pas beaucoup. La performance des gars paraît pourtant éblouir mes amies, qui ne peuvent cacher l'admiration dans leur regard curieux. Quand ils arrivent enfin à décrocher la pancarte sur laquelle il est inscrit : *Buckle up. It's the law* (un énoncé d'une hilarité sans pareille si on en croit les rires gras des voyous boutonneux qui s'en emparent), Sandrine, Ellie et Emilia s'excitent comme des fillettes, se retenant pour ne pas applaudir et ainsi dévoiler notre cachette. Je me retiens, de mon côté, pour ne pas commenter l'absurdité du geste. Je comprends « rationnellement » que l'illégalité est enivrante pour de jeunes filles de bonne famille comme elles, mais je ne suis personnellement pas très ébaubie devant quatre mineurs qui décrochent un panneau sur le bord de la 87 ; je suis plate de même.

Pour arriver à faire entrer l'enseigne dans l'autobus sans que les adultes s'en aperçoivent, l'un d'entre eux est chargé d'aller faire diversion auprès des surveillants pendant que les trois autres se précipitent dans le véhicule en ricanant, le trophée en métal sous le chandail. Un vrai jeu d'enfant (dans tous les sens du terme).

Parmi eux: Antoine St-Gelais, un couillon de la pire espèce. Un gars qui a été suspendu de l'école un nombre incalculable de fois, mais qui est toujours revenu grâce aux contacts de ses parents et à leur sens affûté de la persuasion. Il n'a jamais été dans nos classes, à Emilia et à moi, mais sa réputation le précède: vol à l'étalage, intimidation, plagiat; ce n'est pas le genre de personne qu'on veut avoir comme coéquipier dans un travail, et encore moins comme ennemi (et même pas comme ami). Emilia l'observe avec admiration. Elle a flirté avec la délinquance ces derniers temps et les garçons indociles lui plaisent de plus en plus.

Nous reprenons nos places dans l'autobus à notre tour quand nos accompagnateurs décident que la récréation est terminée. Emilia, qui ne me parle pas de son attirance évidente pour le frondeur Anto (probablement parce qu'elle sait que je désapprouverais vigoureusement), poursuit sa consultation maladive des réseaux sociaux. Je décide donc de fermer les yeux quelques instants dans l'espoir de raccourcir les heures de locomotion.

— Maude? me lance ma meilleure amie, alors que j'étais sur le point de sombrer dans l'inconscience.

— Quoi? dis-je, les yeux encore fermés.

— Est-ce que Donatello t'a parlé de moi quand tu l'as vu pendant le temps des Fêtes?

Sa question est on ne peut plus inattendue. Je n'ai jamais dit à Emilia ce que Don m'avait raconté à son sujet; à quel point elle avait été possessive et jalouse à son endroit, comment elle l'avait menacé. Et, comme je ne suis pas quelqu'un qui aime les crises existentielles et les regrets éhontés (contrairement à bien des filles que je m'abstiendrai de nommer), je n'ai aucune envie de m'engager sur ce terrain glissant.

— Non, pas plus que ce que je t'ai déjà dit.

— *Bien*, poursuit Emilia, comme déçue par ma réponse.

Je me demande si elle sait que je sais. Si elle se doute que Donatello m'a raconté à quel point elle a été excessive et injurieuse envers lui. Je referme les yeux, sachant surtout que je n'ai aucune envie de discuter de sa relation imaginaire avec le cousin de mon beau-frère, qui se trouve d'ailleurs dans le même autobus que nous, au moment où on se parle.

— C'est qu'il m'a bloquée sur Facebook, ajoute-t-elle, n'ayant visiblement pas compris le message subtil derrière mon renfrognement et mes paupières closes.

Je décide de ne pas répondre à son commentaire, m'imaginant qu'elle va peut-être abandonner la bataille sans résister.

— *Creo que está enojado*, insiste-t-elle.

Je décide de faire la morte, comme si j'étais attaquée par un ours (ou peut-être est-ce une mauvaise stratégie ; il faut hurler quand on est attaqué par un ours, non ?). Si je fais semblant de dormir, elle me laissera peut-être tranquille.

— Maude, dit-elle en me frappant l'épaule droite, tu penses qu'il me boude ?

Son obstination me perturbe. Je ne sais pas si elle est prête à entendre la vérité et, surtout, si elle veut vraiment entendre la vérité. Je ne suis pas certaine non plus, personnellement, d'avoir envie de connaître sa version, de l'écouter se prononcer sur un événement qui a été clos il y a plus de trois mois dans mon esprit. J'ai la ferme impression que ce que Donatello m'a dit était vrai, que ma meilleure amie l'a harcelé par des courriels accusateurs et des messages vocaux calomnieux. Si elle prétend qu'il m'a menti, je serai, encore une fois, aux prises avec un problème de conscience et je regretterai de lui avoir révélé les confessions de Don.

Suis-je ingrate d'être si peu avide de vérité ? Est-ce que j'agis en lâche en voulant m'en tenir à une version qui me paraît vraie, plutôt que de me lancer dans une polémique sans issue entre deux parties vivant sur deux continents différents ? Est-ce que je ne devrais pas me ranger du côté de ma meilleure amie plutôt que de celui d'un presque étranger ?

— Pourquoi il te bouderait ? dis-je finalement d'une voix complètement désintéressée.

Je choisis de terminer la conversation ici. Je sais pertinemment que, si je laisse la curiosité et ma bonne conscience gagner, je finirai par le regretter.

Emilia hausse les épaules pour souligner son ignorance et retourne à l'observation de son iPad.

— Et Anto St-Gelais ? Tu penses que je suis suffisamment cool pour lui ? continue-t-elle, légèrement moins fort pour que des oreilles mal avisées n'oient pas ses commentaires.

Je n'ai pas envie de parler de Donatello, certes, mais je suis encore moins disposée à dialoguer sur Antoine. Je fais donc mine d'être endormie et ne réponds rien à sa question dangereuse.

Elle croit à ma mascarade (ou choisit de respecter mon silence). Elle n'a plus parlé pendant au moins deux heures.

Vraiment, je l'ai dit et je le répète ; c'est drôlement compliqué des filles !

Chapitre 2

Bienvenue en Amérique

Après six, sept, huit ou dix heures de route — j'ai arrêté de compter —, Marie-Josée nous annonce que nous ne sommes qu'à quelques minutes de notre destination finale. La frénésie, qui s'était considérablement estompée, reprend de plus belle. Quelques filles appartenant à la classe des gens populaires et branchés se mettent à chanter *Empire State of Mind* comme si elles avaient répété leur entrée depuis des mois (ce qui est probablement le cas). Elles lèvent les bras dans les airs, se trémoussent et, rapidement, des dizaines de voix féminines se joignent à la chorale.

There's nothin' you can't do
Now you're in New York
These streets will make you feel brand new
Big lights will inspire you
Let's hear it for New York, New York
New York

Un garçon a même été désigné pour interpréter les passages de Jay-Z. On peut dire d'ailleurs qu'il est assez compétent (et je ne suis pas quelqu'un de facilement impressionnable ; peut-être l'aviez-vous remarqué ?). Deux ou trois de ses amis à la casquette bien enfoncée sur le crâne rasé et au jeans descendu sous les fesses l'accompagnent en tant que *human beatbox*. Marie-Josée paraît plutôt déconcertée par l'activité qui habite maintenant l'autobus, mais elle est beaucoup trop ébahie pour réagir. Comme la plupart des étudiants ne semblent pas particulièrement surpris par la chorégraphie, on peut imaginer qu'ils étaient au courant de l'exercice. Même Emilia, Sandrine et Ellie n'ont pas l'air particulièrement traumatisées (comme je le suis). Mon air penaud convainc ma meilleure amie de m'expliquer la conjoncture inattendue.

— C'est Ray qui a lancé le défi à Cam de monter un numéro-surprise pour notre arrivée à New York, une sorte de *flash mob* dans un environnement contrôlé.

Comme j'ignore qui sont Ray et Cam et que je ne suis pas convaincue d'avoir tout à fait compris la signification de *flash mob*, je comprends pourquoi je n'ai pas été informée de la performance. Mais, comme il ne semble y avoir que moi (et les profs) de perturbée dans l'autobus aujourd'hui, je me dis que je suis sans aucun doute l'asociale du groupe. Un titre qui ne me déplaît pas. Je ne suis effectivement pas une personne à l'approche facile et il est vrai que, si on m'avait dit que Ray et Cam s'étaient lancé un défi, je n'aurais probablement pas été particulièrement intéressée par le sujet. Peut-être me l'a-t-on même mentionné et mon cerveau n'a-t-il pas cru bon de retenir l'information, qui m'aurait pourtant évité aujourd'hui une forme — très rare — de traumatisme crânien.

Lorsque les artistes ont terminé leur exploit et qu'ils se félicitent mutuellement pour la qualité de leur exécution et leur audace, nous apercevons au loin le pont de Brooklyn. L'excitation se transforme alors en admiration. Je suis aussi particulièrement impressionnée.

Évidemment, d'un point de vue rationnel, il n'y a rien de très exaltant dans une construction pareille ; ce n'est qu'un pont après tout, mais, sur le plan métaphorique, le Brooklyn Bridge est un symbole important. Pour moi, c'est *Once Upon a Time in America, Scarface, Gangs of New York* ; pour d'autres, ce pourrait être *Someone Like You..., Spider-Man, Donnie Brasco* ; et même les gens qui ne sont pas obsédés par le cinéma comme je peux l'être ont probablement des références qui les font vibrer en voyant ce « monument ». Mais je ne peux me prononcer que sur ceux-là, vu que ce ne sont que des vestiges cinématographiques qui me viennent personnellement à l'esprit. Après l'hystérie de la performance, c'est autrement étrange que d'être face à ce silence admiratif.

— *Chiquita !* Te rends-tu compte qu'on est à New York ? lance alors Emilia en serrant très fort ses doigts sur ma cuisse.

— Ayoye ! S'il te plaît, laisse-moi mes fonctions vitales si tu veux que j'apprécie le voyage autant que toi, dis-je pour calmer la fougue qui semble maintenant dominer mon amie.

— Je vous demanderais un moment d'attention, s'il vous plaît, crie alors notre accompagnatrice, chancelante, toujours debout entre les bancs. Je sais que vous êtes très excités de découvrir enfin la Grosse Pomme, mais j'ai des instructions à vous fournir quant à notre horaire.

Personne n'écoute vraiment la pauvre professeure, mais elle continue tout de même à débiter le programme du reste de la journée.

— Nous allons bientôt arriver sur l'île de Manhattan. Là-bas, nous ferons un tour d'autobus avec un guide, puis nous irons souper dans un buffet, pour ensuite nous diriger vers notre hôtel.

Elle continue à formuler les consignes pendant dix ou quinze minutes, mais il est évident que Manhattan à l'horizon est beaucoup plus intéressant que ne l'est ce blabla protocolaire. Même moi, qui ne suis pas d'un naturel enflammé (au contraire de mes copines, qui s'excitent pour une nouvelle couleur de vernis à ongles chez Sephora), je suis fébrile à l'idée de découvrir la ville qui se matérialise sous mes yeux.

Quand nous traversons ledit pont, le climat dans l'autobus est euphorique. Comme il n'y a pas qu'Emilia, Sandrine et Ellie qui sont de jeunes femmes excessives et spontanées, on n'entend bientôt que de petits cris d'énervement dans l'autobus. Les garçons ne sont pas aussi expressifs que leurs consœurs, mais ils paraissent, eux aussi, particulièrement exaltés.

Quand nous rejoignons enfin l'île, ce sont les gratte-ciels qui me renversent d'abord. Ce n'est pas la première fois que je vois des immeubles aussi imposants, mais c'est leur nombre qui me chavire. Je colle mon visage sur la vitre de l'autobus pour apercevoir le toit des édifices, mais c'est peine perdue pour plusieurs, dont le sommet est beaucoup trop haut pour être observé de si près du sol. L'autobus s'arrête brusquement et freine l'euphorie collective.

Ceux qui n'ont pas écouté l'introduction de la professeure (donc presque tout le monde) se demandent pourquoi nous nous arrêtons sur un coin de rue.

— C'est maintenant le temps de changer de carrosse, annonce alors l'enseignante.

Quand les étudiants comprennent qu'ils doivent troquer leur moyen de transport contre un autre, ils sont légèrement contrariés. Certains élèvent la voix, se plaignant du manque de discernement lors de l'élaboration du programme. Marie-Josée explique alors aux révoltés qu'il n'y avait pas d'autres plages horaires disponibles et que, de toute façon, un tour de ville guidé est une bonne façon d'entamer notre séjour. Les étudiants récalcitrants oublient toutes leurs frustrations lorsqu'ils aperçoivent l'autobus en question. Il s'agit d'un véhicule à deux étages d'un rouge criard, qui ressemble à ceux que l'on peut apercevoir dans les rues de Londres (je ne suis jamais allée en Angleterre, mais j'ai vu des reportages à la télé... ça compte n'est-ce pas ?). Le second plancher de notre nouvelle voiture n'a pas de toit pour permettre aux occupants de mieux apprécier le panorama urbain. Les élèves descendent de notre véhicule actuel les uns après les autres. Les filles sautillent sur le trottoir pour canaliser leur joie alors que les garçons regardent dans tous les sens, comme dépassés par tant de nouveaux décors à découvrir. Il fait plutôt froid dehors, mais personne ne s'en préoccupe. Nous sommes tous beaucoup trop énervés pour nous soucier de la température. Dès que nous sommes tous confortablement installés dans l'autocar, un guide à l'accent français prend la parole.

— Bonjour, les jeunes Québécois, et bienvenue à New York City ! Je m'appelle Stephano et je serai votre guide en cette magnifique journée dans la Grosse Pomme !

Il m'agresse déjà. Son enfièvrement est tel qu'il n'accote même pas celui des plus excités d'entre nous. Bientôt, tout le monde se lance des regards intrigués, se demandant s'il s'agit d'une mauvaise blague ou si des personnages comme Stephano existent dans la vraie vie. J'aurais bien vu Rock et Belles Oreilles imaginer un individu comme celui-là, mais je n'aurais jamais cru en rencontrer un. Ce n'est pas seulement sa manière de parler avec un entrain perturbant qui nous déstabilise, mais aussi sa façon particulière de s'habiller. Il est vêtu d'un pantalon bleu poudre, d'une chemise rouge et d'une veste jaune, celle-ci probablement obligatoire pour le désigner en tant que guide touristique de la compagnie, mais je suis convaincue que ses patrons ne l'obligent pas à porter un pantalon et une chemise aussi ostentatoires. Même Marie-Josée et Maxime paraissent troublés par le guide-clown. Quand l'autobus démarre, Stephano hurle un « C'est parti ! » digne d'une émission pour enfants d'âge préscolaire. Il nous communique un nombre incalculable d'informations en un temps record. Nous qui n'avons pas été beaucoup stimulés depuis plusieurs heures (je ne considère pas que *John Carter* représente une stimulation intellectuelle valable), nous sommes dépassés par le débit de

Stephano et son hyperactivité. Il court d'un bout à l'autre de l'autobus pour nous indiquer des endroits fantastiques qui ont accueilli, à un moment ou à un autre, des gens célèbres. Nous ne retenons rien de tout ce qu'il nous raconte tellement son discours est incompréhensible. Il faut même, à un moment, que Marie-Josée lui demande poliment de parler moins vite pour que nous puissions emmagasiner l'information qu'il nous transmet. Nous traversons SoHo, Little Italy, puis Chinatown, où des vendeurs itinérants illégaux vendent des répliques de sacs à main Gucci ou Versace ainsi que des parfums ou des bijoux faits dans des usines en Thaïlande, dans lesquelles on exploite les enfants en les forçant à travailler douze heures par jour pour un salaire de quelques sous. Les filles ne paraissent pas particulièrement touchées par les injustices sociales quand elles demandent à notre guide s'il est possible de nous arrêter pour nous procurer l'une de ces imitations de grandes marques. Étonnamment, le Français survolté accepte la proposition des acheteuses compulsives et leur donne quinze minutes pour faire leurs emplettes. Sandrine, Emilia et Ellie se précipitent hors de l'autocar alors que je reste là à les observer tenter de marchander avec un grand monsieur noir qui a déjà compris leur immense crédulité et envisage d'en profiter. Sandrine et Ellie reviennent chacune avec une sacoche en main et Emilia prétend qu'elle n'a rien vu qui lui plaisait, mais nous savons toutes qu'elle préfère s'acheter le produit original plutôt que la pâle copie, ce que, évidemment, Sandrine et Ellie ne peuvent pas faire, faute de liquidités. L'autobus repart et Stephano reprend son élocution. Nous passons à travers Union Square, une intersection historique de Manhattan (ne me demandez pas pourquoi, je n'ai pas suivi l'explication), nous passons ensuite devant Flatiron Building, un gratte-ciel en forme de triangle, puis devant le Rockefeller Center, un complexe qui comprend dix-neuf édifices commerciaux couvrant vingt-deux acres (ça, je l'ai compris). C'est d'ailleurs à cet endroit que se trouvent, chaque année, le célèbre arbre de Noël géant et la patinoire surplombée d'une statue dorée qu'on peut voir dans de nombreux films, notamment *Home Alone*, qui met en vedette Macaulay Culkin, qui, ultimement, tomba dans la drogue et la déchéance (information complètement inutile, je sais).

Une fois notre expédition dans les rues du centre-ville terminée, nous nous dirigeons vers le restaurant qui nous accueillera pour le souper en piquant à travers le Lower East Side. Quand notre moyen de transport s'arrête, Marie-Josée se lève et nous demande de la suivre. Nous traversons quelques rues à sa suite jusqu'à ce qu'elle freine devant une grande porte rouge.

— Nous sommes arrivés devant le restaurant. Je vous demande de vous comporter convenablement et de ne pas me mettre en rogne, parce que je vous rappelle que je suis en mesure de faire de votre voyage un moment beaucoup moins excitant que prévu.

Marie-Josée dévisage les fauteurs de trouble habituels, comme pour les provoquer, mais ils ne semblent pas particulièrement impressionnés par son autorité. Antoine St-Gelais ose même lui renvoyer un clin d'œil. Elle fait semblant de ne pas être offensée par son geste phallocrate. La cinquantaine d'étudiants indisciplinés que nous sommes se dirige finalement à l'intérieur de l'édifice, où un buffet de fritures nous attend. Il n'y a pas de doutes, nous ne sommes pas au Ritz-Carlton. Les odeurs de fruits de mer, de viandes rouges, de frites et de mozzarella fondue se mélangent pour produire un fumet digne de l'obésité des Américains. Comme nous sommes, pour la plupart, affamés, nous ne ferons pas notre fine bouche ce soir et mangerons ce que les États-Unis ont à nous offrir, mais je ne crois pas que personne criera au génie en découvrant les plats copieux de croquettes de poulet et de bâtonnets de fromage qui siègent, dégoulinants de gras, au centre de la pièce. Mes trois amies et moi nous trouvons une table et attendons qu'on nous donne le signal, pour découvrir la gastronomie américaine. Deux serveurs, petits et dodus, se présentent alors à nous, légèrement intimidés, et nous donnent la permission de nous servir au buffet d'un *Go help yourself* peu convaincu. Nous déambulons entre les îlots, ne sachant trop quels plats choisir pour engraisser nos jeunes cuisses et préparer notre future culotte de cheval à des lendemains peu glorieux. On dirait que même les fruits, qui gisent sur la table des desserts, ont fait un séjour dans l'huile. J'opte finalement pour une pointe de pizza ruisselante de gras et des spaghettis trop cuits nappés d'une sauce rouge qui m'inspire suffisamment confiance pour que je considère l'idée de l'engloutir. Sandrine s'est jetée sur le steak, Ellie a rassemblé des légumes et des tranches de pain dans une petite assiette alors qu'Emilia s'est risquée davantage, avec des filets de poisson pané et des dumplings noyés dans une épaisse sauce aux arachides.

Lorsqu'on reprend notre place, Marie-Josée, assise juste à côté de nous, est aux aguets. Elle craint la guerre de bouffe presque autant que moi. J'imagine la trempette couler dans mes cheveux et les olives frapper mes yeux tels des projectiles de fusil. Je sais que l'idée traverse le cerveau mal tourné de mes confrères de classe, mais j'espère qu'elle n'ira pas jusqu'à se concrétiser. Nous mangeons, dubitatives, nos victuailles en craignant l'Armageddon quand Ellie brise le silence :

— Bon, il faudrait parler de notre plan pour ce soir.

Elle reçoit alors deux coups de pied de ses amies sous la table.

— Ayoye ! dit-elle avant de comprendre qu'une des personnes présentes à la table n'était pas au courant de l'activité susnommée qui nécessitait un plan.

Ladite personne, moi, en vient à paniquer et à se fâcher contre ses amies qui ont encore comploté dans son dos.

— Comment ça, un plan ? C'est quoi, l'affaire, encore, là ?

— *¡ Tranquila, chiquita !* On parlait juste de notre plan de chambre, genre qui couche avec qui dans quel lit..., annonce alors Emilia, comme insultée par ma réaction expéditive.

Je me doute bien qu'elle prépare quelque chose qui me déplaira, mais son attitude récalcitrante me force à ne pas renchérir.

Sandrine et Ellie jouent le jeu de ma meilleure amie et me jurent qu'elles ne me cachent rien. Ce qu'évidemment je ne crois pas. Je sais que tôt ou tard la vérité viendra à éclater, alors je laisse le temps juger de l'honnêteté de mes copines et poursuis la dégustation de mes mets raffinés.

Comme pour changer le tour de la conversation, Sandrine commence à énumérer les magasins qu'elle voudrait visiter demain, lors de notre périple sur la 5e Avenue.

— Il y a Abercrombie & Fitch qu'on ne doit pas manquer, il y a aussi Jimmy Choo, Michael Kors, Steve Madden, Tiffany, Versace, Vuitton.

— Rien de moins ! dis-je pour freiner son appétit de luxe.

— Le lèche-vitrine, Maude, c'est une discipline sportive qu'il faut savoir maîtriser lorsqu'on se rend dans des villes comme New York, me réplique-t-elle, convaincue de la valeur de son argument.

— Et tu crois que tous ces magasins nous laisseront entrer ? demandé-je à mon athlète olympique en magasinage inabordable.

— Les gens de la 5e Avenue en ont vu d'autres, nous avons juste à faire semblant que nous sommes des filles de riches et que nous avons la carte de crédit de papa, continue Sandrine.

— On n'a qu'à imiter Emilia, lâche alors Ellie en se retournant vers la Latina.

Ma meilleure amie aurait pu être insultée, mais il n'en est rien. Elle est consciente, je crois, de l'image qu'elle projette et je pense qu'elle apprécie le fait que ses parents soient fortunés. Elle aurait pu naître dans une autre famille, dans un milieu moins favorisé, et elle en a conscience.

Je n'irais pas jusqu'à dire qu'elle est reconnaissante et qu'un jour elle redonnera de son temps et de son argent à la société, mais elle sait la chance qu'elle a. C'est un pas vers la lucidité. Même si, évidemment, on est encore bien loin de la voir servir la soupe populaire aux sans-abri.

Le reste du souper est plutôt silencieux. Nous faisons quelques commentaires sur la nourriture, mais rien de bien pertinent. Après nous être rassasiés (c'est vite dit), nous retrouvons notre charmant autobus et son chauffeur pour qu'ils nous conduisent à l'hôtel. Il faut avouer que, à la suite de notre arrêt au restaurant le moins chic de tout New York, nous sommes inquiets de la qualité de l'hôtel qu'on nous a déniché. Il faut attendre quinze ou vingt minutes avant d'arriver devant l'édifice en question. La crainte fait bientôt place à l'excitation lorsque nous nous rendons compte qu'il s'agit d'un établissement d'une grande classe ; sans aucun doute, un quatre étoiles ou plus. Je crains tout de même un peu qu'on nous ait réservé la remise ou que le palace devant lequel nous nous sommes arrêtés ne soit qu'un leurre, une fausse joie, ou encore qu'il cache un motel miteux, reclus derrière, où la coquerelle est reine. Il semblerait d'ailleurs que, l'an dernier, les élèves de quatrième secondaire aient eu droit à un bâtiment en pleine décrépitude. Certains étudiants ont même cru entendre des souris dans les murs et des clochards gravir maladroitement les escaliers de service. C'est pourquoi nous sommes encore plus impatients de découvrir l'endroit qu'on nous a réservé. Mais toutes mes appréhensions disparaissent lorsque Marie-Josée nous invite à rejoindre le hall de ce qui sera notre luxueuse résidence pour les deux prochains jours. La pièce est assez grande pour accueillir tous les touristes étudiants. Tout le monde est anxieux de découvrir sa chambre. Quand on nous remet enfin notre carte magnétique, à mes amies et à moi, nous nous précipitons dans l'ascenseur (je prends les escaliers) et déboulons le long du corridor du quatrième étage jusqu'à la porte de notre chambre. Sandrine, cérémoniale, glisse la carte dans la serrure et attend que la lumière verte scintille pour pousser la porte. Les trois filles s'engagent au même moment dans l'embrasure et restent coincées quelques secondes sur place, mais cette situation (de mon point de vue, hilarante) n'est pas suffisante pour freiner leur enthousiasme. Elles auraient pénétré dans la suite royale du Caesars Palace de Las Vegas qu'elles n'auraient été plus éblouies. Ellie saute sur les lits (un classique!) pendant qu'Emilia dans la salle de bain s'étonne du nombre de produits gratuits que l'hôtel met à notre disposition. Sandrine se précipite vers la fenêtre pour contempler la vue imprenable sur le stationnement étagé d'en face. Elle paraît légèrement déçue du paysage lorsqu'elle se retourne pour accompagner Ellie dans ses tests de résistance des matelas. La Latina sort finalement de la salle de bain (probablement après avoir étudié la qualité du shampoing et celle du savon) avec un air grave.

— Bon, maintenant, c'est le temps de parler de notre plan d'attaque.

J'ai déjà l'impression que ma soirée ne ressemblera pas à celle que j'avais prévue. Une rage indéfinissable s'empare de moi et je ne peux m'empêcher de m'énerver :

— De quel foutu plan on parle ?

Sandrine prend alors la parole.

— Nous ne voulions pas t'en parler avant. Au resto, c'était trop risqué. Et Ellie pensait que tu savais.

Là, juste là, à ce moment précis, je crois que, si les fenêtres pouvaient être ouvertes suffisamment pour qu'on y jette des corps, je balancerais les trois traîtresses par-dessus bord. Je tente de contenir ma rage afin d'écouter la suite, mais j'ai déjà l'impression qu'on va me proposer une chose complètement insensée et que je n'aurai d'autres choix que d'accepter.

— ... Emilia a rencontré quelqu'un sur Facebook. Un gars.

Je me tourne vers ma meilleure amie qui fixe maintenant le sol, incapable d'affronter mon regard meurtrier.

— Le cousin d'Aurore, en fait.

Je comprends tout d'un coup la soudaine compassion de mon amie pour l'enfant martyre qu'on a dû abandonner à la frontière pour crétinisme (oublier son passeport quand tu pars en voyage, c'est crétin. Point. Pas de pitié.).

— Il est DJ dans un bar et il était censé nous faire entrer. Mais, maintenant qu'Aurore n'est plus là… C'est devenu un peu plus complexe.

— Donc, si je comprends bien, votre plan fantastique consiste à : quitter l'hôtel sans nous faire repérer, trouver l'emplacement de la discothèque dans une ville qu'on ne connaît pas, entrer dans le bar sans se faire carter — je vous rappelle que l'âge légal ici est de vingt et un ans et que c'est à peine si nous avons l'air d'en avoir seize —, danser jusqu'au petit matin et revenir nous camoufler sous les couvertures en feignant d'avoir bien dormi ?

— Ce plan m'apparaît encore irréprochable, s'exclame alors Sandrine.

Si les fenêtres s'ouvraient…

Je décide de ne rien ajouter à ce commentaire que je présume une blague. À moins bien sûr que j'aie mal jugé ma copine et qu'elle soit dangereusement conne (c'est aussi une possibilité, mais je préfère encore l'écarter pour le moment).

— Comme Aurore n'est plus là, votre scénario tombe à l'eau et on reste ici, bien tranquillement, jusqu'à demain matin? demandé-je, naïvement.

— *¡No! El plan no cambia*, rétorque Emilia, qui me fixe maintenant en me provoquant.

Elle m'explique alors plus en détail son « plan » qui n'en est pas un — parce que beaucoup de passages seront improvisés — et (évidemment) je suis encore plus outrée que je ne l'étais au départ. J'ai envie de leur expliquer calmement à quel point cette idée est irrationnelle, combien il est dangereux pour quatre adolescentes frêles de s'aventurer dans une grande ville inconnue vers une destination illégale pour rejoindre une personne qu'elles ne connaissent pas, mais je sais qu'elles ne m'écouteront pas, alors je rumine et me tais.

— Tu ne dis rien? finit pas lancer Ellie, qui s'inquiète bien plus (et à raison) quand je ne parle pas que lorsque je ne m'indigne.

— Moi, je ne participe pas à ça! J'espère que c'est clair dans vos esprits! dis-je finalement, de manière ferme et décidée.

Sandrine et Ellie protestent légèrement, mais finissent par admettre que j'ai des limites et qu'avec leur « plan », elles les enfreignent toutes sans exception.

Emilia ne s'insurge pas d'emblée. C'est seulement lorsque les filles se maquillent dans la salle de bain (pour essayer de ressembler à des femmes de vingt et un ans, ce qui, évidemment, ne peut se solder que par un échec, mais je crois qu'il est inutile de leur préciser qu'elles auront l'air de prostituées de douze ans) qu'elle vient interrompre ma lecture très consciencieuse du guide de voyage Michelin.

— *Estoy decepcionada,* j'aurais aimé que tu nous accompagnes, fait-elle alors.

— Emilia, tu ne peux pas me demander ça. Tu peux me forcer à t'accompagner à un voyage scolaire à New York, à sécher un cours d'éduc, tu peux même me convaincre de prendre un spa en compagnie deux garçons semi-inconnus et un bikini avec l'inscription « Juicy » sur les fesses, mais tu ne peux pas exiger de moi que je te suive dans une connerie pareille.

Mon ton est glacial, ma décision irrévocable. Elle sait qu'elle ne parviendra pas à me persuader cette fois. Et, étrangement, elle abdique.

— Je sais ce que tu penses de moi.

Elle paraît soudain tellement fragile. Je me demande s'il s'agit d'une autre ruse pour m'amadouer ou si elle est sincère.

— Que je suis bonasse, poursuit-elle, et que je ne te mérite pas.

— Ce n'est pas une question de mérite, Emilia ; je t'adore, tu le sais. Tu mets de la couleur dans ma vie morne. Mon existence serait vraiment ennuyeuse sans toutes tes niaiseries pour la *fucker* !

Elle sourit et je souris.

Je ne change pas d'idée, par contre, je ne la suivrai pas. Il n'est pas question que je risque ma vie pour les yeux doux d'une Latino-Américaine fantasque et ceux de ses deux sous-fifres. D'ailleurs, les deux subordonnées sortent à l'instant de la salle de bain, pensant que leur supérieure est arrivée à me convaincre.

— Non, elle ne viendra pas, les filles, lance alors Emilia au visage (dissimulé sous des couches de fond de teint et de fard à paupières rose bonbon) des deux pipelettes.

Sandrine et Ellie ont du mal à cacher leur déception. Je me demande pourquoi elles tiennent tant à ce que je les accompagne, moi qui suis toujours là pour les sermonner et les reprendre.

— Pourquoi ma présence est-elle si importante ? demandé-je pour en avoir le cœur net.

— On se sent plus en sécurité quand tu es avec nous, m'explique alors Ellie.

Je ne sais pas trop si je dois considérer ces paroles comme un compliment ou comme une insulte. Est-ce que c'est positif quand quelqu'un te dit que ta plus grande qualité, c'est que ton cynisme les rassure ?

— Peut-être que la peur vous empêchera de faire des bêtises, alors, poursuis-je.

— Peut-être, continue Ellie.

Les trois adolescentes se préparent donc à sortir. La première étape de leur plan machiavélique consiste à s'échapper de la chambre d'hôtel sans attirer l'attention des professeurs. Berner Maxime ne devrait pas être trop compliqué (il doit être en train de se contempler dans le miroir de sa chambre), mais, pour Marie-Josée, c'est une tout autre histoire. Elle nous a bien avertis qu'elle n'acceptait pas les visites nocturnes et que les conséquences seraient graves si elle nous attrapait en train de nous balader d'une chambre à l'autre en pleine nuit. Ellie a été nommée vigie. Elle entrouvre d'abord la porte pour vérifier si le champ est libre. Lorsqu'elle aperçoit des étudiants qui traînent dans le couloir, elle la referme frénétiquement, comme paniquée à l'idée que quelqu'un ait pu s'apercevoir qu'elle guettait le corridor. Elle attend quelques minutes pour laisser le temps aux élèves de regagner leur chambre et, lorsqu'elle n'entend plus leurs pépiements, elle essaie à nouveau. Aussi furtive qu'une pelle mécanique, Ellie indique à ses amies que le chemin est dégagé de la manière suivante :

— Les moutons ont rejoint la bergerie. Je répète : les moutons ont rejoint la bergerie.

Ses deux complices ne semblent pas comprendre tout à fait l'analogie de celle qui est passée, sans raison, de vigie à espionne internationale.

— La voie est libre, continue-t-elle quand elle s'aperçoit que ses amies n'ont pas la fibre d'agent secret très aiguisée.

En se moquant de la tête d'Ellie, Sandrine et Emilia la rejoignent, sacoches en main, à la porte. Ma meilleure amie me lance un dernier regard, croyant probablement pouvoir m'embobiner à la dernière minute.

— Non, Emilia, je reste ici, dis-je sèchement.

À peine une seconde après que je les ai quittées des yeux, je les imagine déjà dans un conteneur à déchets, dévêtues, molestées, comateuses et victime de l'overdose d'une drogue qu'on les aurait forcées à consommer en se piquant. Je me vois ensuite aux funérailles de l'une d'elles, avec des parents qui pleurent, des amies qui crient et une pierre tombale sur laquelle il serait inscrit: « Si Maude les avait accompagnées, rien de tout cela ne serait arrivé. » (Oui, j'ai beaucoup d'imagination...)

À la vue de ces images d'horreur, je ne peux évidemment pas rester dans cette chambre d'hôtel, sachant que mes amies risquent leur vie par aveuglement. Je quitte donc la pièce, laissant derrière mes espoirs d'une soirée tranquille, et rejoins les fugitives au bout du passage.

— Je vous déteste, dis-je simplement en les accompagnant jusqu'à la cage d'escalier (le moyen le plus sûr, semble-t-il, pour éviter les gardes).

Ellie et Sandrine me prennent dans leurs bras, visiblement heureuses que j'enfreigne les règles pour elles, mais Emilia se contente d'un sourire satisfait. Je me dis alors qu'elle n'a jamais eu l'intention de partir sans moi. Elle savait que je serais en désaccord avec son plan et que le seul moyen de me convaincre serait que j'aie l'impression que la décision venait de moi. Je me suis encore fait flouer. Elle a bien joué ses cartes cette fois, je ne peux pas prétendre le contraire. Je pourrais l'affronter, exiger qu'elle m'explique quelle étape j'étais au sein de son plan perfide, mais je comprends que le moment est mal choisi. De toute façon, je suis une personne qui assume ses actes et, ce soir, il est vrai que j'ai agi (presque) de mon propre gré. Je les suivrai donc et les empêcherai de se retrouver dans un conteneur à déchets au péril de ma vie si tel est mon destin (qui a dit « mélodramatique » ?).

Chapitre 3

Conjonction d'insubordination

Nous descendons les marches à pleine vitesse tels des Navy SEAL en mission d'extraction clandestine. Notre vigie ouvre la porte du rez-de-chaussée avec prudence et vérifie s'il n'y a pas d'ennemis à l'horizon. Quand elle s'est assurée qu'aucun professeur ne rôde dans le hall, Ellie nous fait signe d'avancer.

— On reste groupées et, surtout, on fait comme si de rien n'était, chuchote Emilia avant que nous ne traversions le champ de mines.

Mes amies ne devraient pas envisager de carrière de comédienne, parce que leur « comme si de rien n'était » ressemble beaucoup à un « je fais semblant que tout va bien, mais au fond je ne vais pas bien du tout ». Elles sourient bêtement en passant devant le comptoir de l'entrée. Je crois que, même si elles avaient crié à la préposée : « Nous nous enfuyons pour aller dans une discothèque », le message n'aurait pas été plus évident. Heureusement pour elles, la jeune réceptionniste semble beaucoup plus complice que délatrice. Elle nous regarde sans broncher, et nous sourit alors que nous franchissons la porte d'entrée. Quand nous arrivons finalement à l'extérieur du bâtiment, je demande, à juste titre, quelle est la suite du « plan ». Emilia propose de nous éloigner de l'hôtel pour en discuter, « au cas où on se ferait repérer » : une vraie ninja ! Nous suivons donc notre caporal jusqu'à l'endroit qu'elle considérera comme sûr. Elle nous désigne finalement un banc dans un petit parc entre deux gratte-ciels. Nous nous assoyons sagement et attendons la suite des instructions.

— Normalement, Aurore nous aurait accompagnées, mais, comme elle a été assez conne pour oublier son passeport chez elle, nous devons nous débrouiller autrement.

— Tu étais beaucoup plus empathique dans l'autobus, tout à l'heure..., dis-je, un peu perplexe par rapport à sa relation avec sa complice.

— Elle faisait vraiment pitié, assise là sur le bord de la route, démunie. Et il faut avouer aussi que je ne croyais pas que nous pourrions sortir sans elle.

Emilia est assurément une personne égoïste, mais, comme elle paraît consciente et à l'aise de l'être, on peut dire que son défaut est partiellement excusé...

Sandrine et Ellie ont l'air fébriles à l'idée d'entendre le nouveau plan d'action élaboré par leur chef égocentrique. Personnellement, je suis très inquiète.

— Aurore m'a envoyé un texto. Elle m'a dit que son cousin nous attendrait quand même au Starbucks devant le bar. J'ai l'adresse ici, nous dit-elle en désignant son cellulaire.

— Donc, si je comprends bien, le nouveau plan, c'est de suivre l'ancien plan, rétorqué-je pour m'assurer d'avoir bien compris.

Les trois rebelles me dévisagent, pas très amusées par ma grande sagacité.

Emilia vérifie où se situe notre point de rendez-vous. Il aurait été plutôt intelligent de consulter Google Maps avant de sortir de l'hôtel, mais je crois que m'entendre le lui mentionner ne lui plairait pas beaucoup, alors, consciencieusement, je me tais et attends les autres consignes.

Comme j'ai décidé de me joindre au groupe à la toute dernière seconde, je n'ai pas tout à fait le même look que mes consœurs. Avec leurs manteaux de similicuir, leurs souliers à talons hauts et leur maquillage en quantité industrielle, elles ont une apparence similaire. Elles paraissent provenir de la même caste. Mais moi, avec mon chandail à capuchon, mes espadrilles et mon teint fade, sans brillants, je suis de toute évidence l'erreur dans le portrait. Je décide de garder aussi cette réflexion pour moi, au cas où elles décideraient qu'il serait préférable d'aller magasiner avant notre escapade dans les bars. Juste le fait de penser que je suis sur le point de tenter d'entrer dans une discothèque aux États-Unis à seize ans me déconcerte. Être arrêtée par des policiers armés, puis menottée et jetée dans une prison peu salubre pour avoir désobéi aux lois américaines n'est pas la vision que j'avais de ma première visite de New York. Évidemment, mes rêveries n'incluaient jamais le déséquilibre mental de trois adolescentes aspirant à une nuit d'interdits.

— Il nous faut un taxi, maintenant, révèle alors notre chef.

Comme la rue est déserte, qu'il n'y a aucune trace de taxi dans les parages, nous nous décidons à marcher vers la civilisation. Nous étudions les alentours pour choisir le chemin le plus propice à déboucher sur une artère principale. Ellie et Sandrine débattent véhémentement pendant quelques secondes, jusqu'à ce que la meneuse des opérations se prononce et nous incite à la suivre. Emilia marche devant. Il fait de plus en plus noir. Les bruits des talons hauts que portent les mineures endimanchées à mes côtés résonnent contre les gratte-ciels. Nous craignons qu'elle se soit trompée de direction et que cette voie nous mène tout droit vers un gang de rue armé lorsque nous distinguons enfin des réverbères et des voitures en mouvement.

En apercevant la statue de bronze du taureau de Wall Street, Ellie nous informe que nous nous trouvons dans le quartier des affaires. Les filles se jettent alors sur l'animal pour prendre des photos avec lui. Selon les informations contenues dans le guide Michelin et celles qui m'ont été transmises par des documentaires télévisés au canal Évasion, la statue a été installée dans Bowling Green Park après le krach boursier de 1987. Elle est le symbole de la force et du pouvoir du peuple américain. Et, finalement, une autre preuve de leur imperturbable et pourtant perturbant patriotisme.

— Il paraît que toucher ses couilles porte chance, s'exclame alors Sandrine.

Voilà une information qui ne se trouvait pas dans le guide Michelin.

Donc, après avoir photographié sa tête, les jeunes écolières se dirigent vers l'arrière du taureau pour prendre des photos alors qu'elles flattent ses testicules dorés. Je suis la chanceuse qui a été désignée pour immortaliser ce moment mémorable. Je pense alors à la mère d'Emilia, qui m'a demandé de veiller sur elle. Que s'imaginerait-elle si elle me voyait en train de prendre des clichés de sa fille feignant de croquer dans les parties génitales d'un taureau en pleine nuit sur Wall Street. Quelle adulte responsable indigne je suis !

En remettant l'appareil photo numérique à Sandrine, je me dis que nous avons maintenant des preuves tangibles de notre fugue et que prouver que nous nous sommes échappées ne sera plus très difficile. Mais, comme les trois commères sont complètement inconscientes du danger qui les guette et qu'elles jacassent en hélant un taxi, je me dis que la seule façon de survivre à cette nuit sans subir de conséquences est probablement en étant inconsciente.

Un taxi finit par s'arrêter et nous fait monter. Un homme d'origine indienne fleurant le patchouli conduit le véhicule. Une grille le sépare des passagers. Nous nous sentons légèrement inconfortables quand l'homme d'une quarantaine d'années nous demande sèchement où nous voulons aller. Son regard à travers les barreaux n'augure rien de très réconfortant. Emilia baragouine l'adresse du café dans un anglais précaire. L'Indien se retourne vers l'avant sans un mot et démarre son compteur. Nous n'osons pas parler de peur de le déranger. Quand Ellie place un mot pour meubler le silence, le conducteur monte le volume de la radio. Nous comprenons le message et nous taisons à nouveau. Nous observons l'écran qui nous fait face, placé entre les deux sièges avant, sur lequel défilent des publicités de courtiers immobilier et de l'église de scientologie. La musique de style Bollywood qu'écoute le conducteur nous donne envie de rire, mais nous nous retenons, inquiètes que notre joie le perturbe davantage. Lorsque le trafic de Times Square freine le mouvement du véhicule, nous spécifions au chauffeur que nous allons marcher pour le reste du trajet. Il pousse un soupir d'exaspération et s'immobilise en bordure de la chaussée. Emilia lui présente sa carte de crédit et le farouche personnage lui indique de la glisser dans la fente prévue à cet effet à l'arrière. Il paraît très contrarié par le fait que nous ne connaissons pas la procédure à suivre dans un taxi new-yorkais, qui, semble-t-il, sont maintenant tous équipés de cet appareil révolutionnaire qui permet de faire payer le client, de lui imposer un *tip* salé tout en le bombardant de propagandes éhontées. Quand la transaction est acceptée, nous nous extirpons de la voiture promptement en saluant l'hostile monsieur de notre plus grand sourire. Nous commentons notre rencontre du troisième type pendant que nous nous dirigeons vers les lumières de Times Square. Sandrine, Ellie et Emilia gambadent maintenant, tellement elles ont du mal à contenir leur joie. L'antipathique chauffeur est maintenant chose du passé. L'un des coins de rue les plus célèbres du monde n'est qu'à quelques pas de nous et c'est tout ce qui leur importe. Lorsque nous apercevons enfin l'emblème de Manhattan, nous restons toutes bouche bée. Il n'existe pas de mot assez fort pour décrire ce que représente Times Square. C'est à la fois l'excès, la surconsommation et l'asphyxie des hommes, terrassés par leur soif de grandeur (là, j'y vais peut-être un peu fort dans l'hyperbole philosophique, je l'avoue, mais je suis vraiment stupéfaite).

Alors que les lumières polychromes brillent dans mes yeux grands ouverts, mes amies me tirent jusque dans le plus gros Toys « R » Us du monde, une attraction obligée de l'embranchement. L'affiche lumineuse est tellement immense qu'elle fait éclater quelques-uns des vaisseaux sanguins de ma rétine. Le magasin de jouets n'en est pas un comme les autres. À l'intérieur, on y retrouve une immense grande roue dont les nacelles sont décorées de certains des personnages préférés des enfants de tout âge. Il y a aussi une partie de l'établissement entièrement consacrée aux blocs Lego, et une autre à la poupée Barbie. Il y a même un dinosaure géant, animatronique, qui s'active et rugit périodiquement pour effrayer les acheteurs qui osent s'aventurer trop près. Il s'agit assurément du paradis pour n'importe quel enfant qui se respecte. D'ailleurs, Emilia, Ellie et Sandrine sont incontrôlables. Elles courent dans tous les sens et hurlent leurs nouvelles découvertes comme si elles étaient seules dans la boutique. Sandrine découvre le rayon des bonbons Wonka et devient hystérique, comme s'il ne lui fallait que regarder les confiseries pour être gagnée par un *rush* de sucre. Pour ma part, j'arpente les allées en me disant que ces planchers ont dû en voir, des crises de bacon d'enfants insatisfaits de ne pas pouvoir avoir la dernière bébelle à la mode. Un véritable sanctuaire de la création de besoins pour enfants.

Évidemment, le temps passe et l'heure de notre rendez-vous arrive à grands pas, mais les filles ne semblent pas trop s'en soucier. Et je ne suis certainement pas celle qui insistera pour que nous soyons à l'heure à notre convocation avec le DJ dont j'ignore le nom. Après qu'elles ont étudié la boutique de fond en comble en s'imaginant avoir encore huit ans, mes amies m'annoncent qu'il est temps de poursuivre notre route.

Alors que nous déambulons dans les rues, n'ayant pas assez de deux yeux pour apprécier toutes les merveilles que Times Square nous propose, le regard de mes copines s'arrête sur l'une des mascottes les plus célèbres de l'endroit : le Naked Cowboy. Ce dernier est un artiste de rue qui porte uniquement un caleçon, des bottes et un chapeau de cowboy, et qui se promène à travers Times Square (peu importe la température, il semblerait) avec sa guitare stratégiquement placée de manière à cacher son sous-vêtement et à ainsi feindre d'être nu (de là le *naked*). Il doit aussi probablement chanter et jouer de son instrument (je parle bien sûr de sa guitare...) — j'imagine que tout ce cirque dénote certaines aspirations artistiques (quoique...) —, mais je n'ai pas l'occasion de le voir performer. Évidemment, son corps musclé suffit à satisfaire mes camarades jouvencelles. Il faut, semble-t-il, qu'on s'arrête pour une photo avec le beau spécimen. Une fois qu'elles ont passé sous le flash de la caméra et lui ont remis le pourboire fortement suggéré, les trois minettes insistent pour que je prenne aussi la pose avec l'exhibitionniste chanteur *stéroïdé* (si jamais il cherche un remplaçant, j'ai un beau-frère qui serait parfait dans ce rôle). Comme je démontre une résistance évidente, le gentil cowboy vient vers moi et me colle contre lui en regardant l'appareil qu'Ellie tient en se tordant de rire. Je fais un sourire forcé et, après que le flash s'est déclenché, je remercie l'étrange personnage en me demandant comment un homme peut en venir à décider de devenir une attraction sans avoir d'abord fait un séjour en psychiatrie. Quel est le déclic qui peut pousser une personne à se déshabiller et à se mettre à jouer de la guitare dans la rue ? L'humain est de toute évidence une espèce complexe... Les filles sont compliquées, mais les jeunes hommes dopés à la testostérone (et fort probablement à d'autres substances, illicites celles-là) ne laissent pas leur place non plus...

Après s'être remise des émotions que lui a fait vivre le beau cowboy, Emilia regarde sa montre et s'aperçoit que nous sommes en retard à notre rendez-vous. Elle nous encourage donc à courir pour que notre contact ne quitte pas le café en voyant que nous n'y sommes pas.

Le spectacle devient alors assez loufoque. Sandrine a beaucoup de mal à marcher avec ses talons hauts, mais courir, c'est un cauchemar ! Elle ressemble à un canard éclopé. Ellie et Emilia sont beaucoup plus habiles. Évidemment, ce n'est pas gracieux comme démarche, mais elles arrivent à garder l'équilibre, au contraire de la pauvre Sandrine, qui s'accroche à tout ce qu'elle peut pour ne pas s'effondrer honteusement sur le sol. Je ne peux que me moquer du tableau. Mes ricanements n'enchantent pas beaucoup mes alliées, qui me demandent d'arrêter de rire ainsi avec une force de caractère qui m'amuse encore plus.

— Pas question. Je vous suis, mais j'ai le droit de me moquer, sinon je suis perdante sur toute la ligne, dis-je en trottant à leurs côtés.

Elles ne peuvent qu'accepter mes conditions. Elles savent qu'endurer mes railleries est un moindre mal, que ma présence vaut bien plus à leurs yeux que leur dignité (ce qui est tout de même flatteur, il faut l'avouer).

Quand nous arrivons finalement devant le Starbucks en question, Emilia cherche des yeux l'homme avec qui elle a parlé sur Facebook. Évidemment, la Latina n'a vu que des photos du DJ (probablement des photos de lui torse nu, devant le miroir) et je ne suis pas convaincue que je me fierais à son jugement de témoin oculaire. Mais, dans sa grande naïveté, Emilia a probablement cru qu'elle reconnaîtrait l'individu entre mille. Ce qui, évidemment, est faux. Comme pour compromettre la mission, le café est bondé de gens. Probablement des jeunes — ayant l'âge légal, eux — qui se rassemblent avant de festoyer toute la nuit dans les bars. Nous entrons dans la bâtisse et Emilia arpente les quatre coins de l'établissement, tel un agent secret à la recherche de son indic.

Après vingt minutes, la Latina n'a toujours pas trouvé notre contact et affiche un air désespéré.

— Ce n'est pas dramatique, les filles, au moins nous aurons essayé, dis-je, plutôt satisfaite du déroulement de la soirée.

Elles me regardent toutes trois droit dans les yeux, se retenant de lâcher un commentaire du genre : « On sait bien ; toi, tu ne voulais même pas venir au départ ! Tu ne voulais pas qu'on réussisse ! » Elles ont, par contre, suffisamment de classe pour ne pas formuler la remarque à haute voix.

— Je vous paie le café ! poursuis-je, pour paraître empathique.

Nous nous dirigeons vers la caisse et, chacune leur tour, mes amies formulent leur commande.

— *Skinny Vanilla Latte mezzo, Salted Caramel Hot Chocolate grande, Mocha Cookie Crumble Frappuccino mezzo.*

Après cette commande d'une précision déconcertante, je me trouve plutôt insignifiante de demander un *Hot Chocolate* bien ordinaire. Mais c'est pourtant ce que je fais, de manière, par contre, beaucoup moins mécanique que mes consœurs. Quand la jeune femme à la caisse, souriante celle-là (il existe des employés du service à la clientèle sympathiques, aux États-Unis ?), me communique le montant de la facture, une vérité existentielle m'apparaît : « Ça coûte ben cher, des cafés Starbucks ! »

Pendant que nous attendons nos coûteuses boissons au bout du comptoir, les filles affichent des mines défaitistes. L'éthique voudrait probablement que je leur remonte le moral, que je trouve des côtés positifs à la situation et que je les leur expose pour qu'elles se sentent un peu moins déprimées, mais je ne sais pas quoi leur dire. Et « C'est mieux pour vous, ainsi » est écarté. Il y a des limites à jouer à la mère et à répéter constamment les mêmes rengaines pour qu'un jour peut-être des adolescentes comprennent leurs fautes stupides, quand on n'a que seize ans. Nous nous dirigeons donc à la seule table libre dans un silence complet.

— Peut-être qu'il va revenir, dit finalement Emilia, telle une fille qui vient de se faire plaquer et qui espère encore que l'amour de sa vie revienne dans ses bras.

Je ne réponds pas. Sandrine et Ellie non plus. Nous sommes toutes trois bien conscientes que la partie est terminée et que nous avons perdu (moi j'ai gagné, mais je m'abstiendrai de le leur mentionner).

Elles dégustent leurs boissons avec une tête d'enterrement, comme de mauvaises perdantes.

— Nous devons maintenant penser à un plan pour réintégrer le QG sans nous faire prendre, intervient Ellie, toujours dans son rôle d'espionne.

— Emilia ? fait alors une voix d'homme derrière mon dos.

J'espère qu'il s'agit d'un membre de sa famille en vacances à New York, mais je sais, au regard brillant de la Latina, que le gentil cousin d'Aurore vient finalement de se pointer (bravo, Maude, de leur avoir proposé des cafés plutôt que le retour à l'hotel).

Emilia lui saute au cou. On pourrait croire qu'elle le connaît depuis des lunes. Il y a des gens qui tissent des liens insensés sur Facebook...

L'homme d'une vingtaine d'années tire une chaise et s'assoit avec nous à notre table.

— Enchanté ! Moi, c'est Sunny, dit-il en nous présentant sa main pour qu'on la serre.

Sandrine et Ellie, sourire tiré jusqu'aux oreilles, s'empressent d'agripper cette main. À mon tour, je le dévisage, l'examine pour m'assurer qu'il n'est pas un violeur ou un fou dangereux qui nous capturerait et nous enfermerait dans son sous-sol en attendant de nous donner en pâture à ses requins domestiqués (je vous l'ai dit : trop d'imagination). Je ne vois pas l'ombre d'une malice dans son regard, mais il pourrait bien être un bon comédien en plus d'être un assassin, alors je me méfie toujours.

— Moi, c'est Maude, réponds-je, froide.

— Ah ! C'est toi, Maude ! Emilia m'a beaucoup parlé de toi !

Je me retourne immédiatement vers Emilia pour obtenir plus de détails sur ce qu'elle a bien pu dire de moi à cet étranger, mais elle ne souffle mot et sourit bêtement.

— Elle m'a dit que, si tu étais présente aujourd'hui, tu serais probablement très renfrognée.

Au moins, elle avait envisagé que je serais peut-être trop intelligente pour les suivre. Dommage que je sois plus bête encore que ce que n'en pense ma meilleure amie frivole.

— Elle avait raison. Effectivement, je ne suis pas particulièrement heureuse de me retrouver ici.

— Ne t'inquiète pas, il n'y aura pas de descente. Il y en a eu une la semaine dernière et c'est très rare qu'une deuxième survienne dans le même mois.

Pourquoi cette phrase ne me rassure pas du tout?

Sunny n'a pas quinze ans. Il n'a pas l'excuse de l'adolescence pour expliquer sa stupidité et sa crédulité, au contraire de mes amies, qui paraissent sécurisées par le commentaire inconséquent du jeune homme.

— Mais je dois vous avertir: s'il y a une descente, vous ne me connaissez pas. Je n'ai pas envie de perdre mon emploi et ma réputation.

— Les filles, c'est dangereux. Vous ne voyez pas le danger dans votre beau «plan», déclaré-je finalement, incapable de me retenir plus longtemps.

— Je pensais que tu étais plus *game* que ça, Maude, ose alors répliquer Sandrine.

Je me retiens pour ne pas la frapper. Je m'imagine botter son cadavre que j'aurais précédemment jeté par la fenêtre (je deviens macabre quand on me provoque).

— Ce n'est pas une question d'être brave ou non, Sandrine, c'est juste de la logique. Tu t'imagines vraiment croupir dans une prison insalubre avec trois ou quatre délinquants sexuels ?

— On ne me mettrait pas avec des violeurs, Maude ! poursuit Sandrine, qui n'a vraiment pas saisi la partie importante de mon discours.

Je perçois dans son regard juvénile sa fougue et son désir de rébellion. Je me rappelle sa relation tendue avec sa mère, la sévérité de cette dernière, la manière dont elle a réagi quand elle a appris que sa fille avait brûlé sa table en faisant une fondue avec des amis pendant le temps des Fêtes. Même les policiers sur les lieux n'étaient pas arrivés à contenir la colère de cette mère devant les enfantillages de sa fille. Je me rappelle qu'elle pleurait et qu'elle regrettait amèrement d'avoir déçu sa génitrice. Je me dis qu'elle a probablement besoin de cette insubordination que lui a proposée Emilia. Évidemment, elle ne veut pas se retrouver derrière les barreaux et affronter les foudres de sa mère, indignée, mais, en enfreignant les règles ce soir, elle la défie d'une certaine manière et cela la réjouit. Peut-être suis-je trop psychologue, trop analytique, mais je pense que je préfère expliquer l'ineptie des gestes de mes amies plutôt que de tout associer systématiquement à une simple immaturité dévorante.

— Relaxe, Maude, vous ne vous retrouverez pas en prison. Je fais juste vous mettre en garde au cas, mais ça n'arrivera pas.

Sunny (ce qui n'est pas un nom d'humain, mais un nom de chien, je tenais à le préciser au cas où quelqu'un serait aussi agacé que moi par ce fait) a alors droit à mon regard le plus méchant.

— Allez, Maude, on a qu'une vie à vivre, poursuit Emilia.

Je l'ai dit et je le répète, ce slogan de *You Only Live Once* que la génération C s'est approprié comme un mantra est l'une des pires choses qui soient arrivées à ces jeunes qui ont appris à taper au clavier avant d'écrire avec un crayon. Cette phrase leur permet d'être indisciplinés et volages. Elle excuse leurs fautes et les encourage à en commettre de nouvelles. Le fait qu'Emilia mentionne cette expression pour me convaincre est une autre preuve de la nuisance de ces quatre mots. Elle sait pourtant que ce n'est pas ainsi qu'elle arrivera à me persuader d'enfreindre les lois écrites, mais ce slogan est si profondément ancré dans ses veines qu'elle le balance instinctivement chaque fois qu'elle prend conscience de la stupidité de ses actes.

Je la regarde sévèrement, elle sait que je la juge.

— Viens, Maude, s'il te plaît, ne nous abandonne pas, enchaîne alors Ellie.

Ellie est visiblement la moins certaine du groupe. Probablement aussi la plus malléable. Ses petits yeux éthérés et la peur dans sa voix constituent probablement l'argument le plus valable de la soirée. Comment peut-on dire non à un petit chaton sans défense qui nous observe de son regard vitreux ?

— OK, OK. J'arrête d'essayer de vous persuader que ce n'est pas une bonne idée. Comment on entre, maintenant, nous ? dis-je finalement à Sunny en me retournant vers lui.

— Tu vas voir, tu ne le regretteras pas.

— Non, non, là je t'arrête tout de suite, je vais le regretter, c'est certain, mais je le fais pour elles.

Mes trois copines comprennent toutes les valeurs que je transgresse pour leur plaire. Elles se lèvent donc de leur siège et me font une accolade de groupe pour m'en remercier.

— Je vous déteste, répété-je alors qu'elles m'encerclent amoureusement.

— Bon, je vais me chercher un café et on discute de notre plan, avance Sunny.

Je n'en peux tout simplement plus d'entendre le mot « plan ».

Chapitre 4

Jus d'orange

Pendant que Sunny Boy commande un café, les filles commentent son allure et la blancheur de son sourire.

— Il est *sweet*, Emilia, tu avais raison, s'empresse de déclarer Sandrine.

— Avez-vous remarqué ses fossettes ? Il est vraiment craquant, lance Ellie en l'épiant qui attend sa boisson.

Il sait très bien que nous le regardons. Il fait semblant de ne pas nous voir, mais il pose pour son jeune public impressionnable de ce soir et je suis persuadée qu'il s'en vantera à ses amis demain. Les DJ dans les discothèques new-yorkaises doivent être des cibles intéressantes pour les pouffiasses qui envisagent une carrière de chanteuse et qui croient naïvement que ces jeunes ploucs ont des relations dans l'industrie de la musique. Elles dansent probablement près des haut-parleurs en espérant que le musicien (est-ce qu'un DJ est un musicien ?) les remarque.

Sunny vient finalement se rasseoir à la table avec nous en souriant de ses trente-deux dents trop blanches.

— Comme je ne peux pas vous faire entrer par la porte principale, je vais vous emmener par la porte des employés, à l'arrière. Il ne devrait pas y avoir de problème. Mon boss laisse parfois passer des filles mineures par là.

Quel genre de patron prend le risque de faire fermer son établissement pour le charme de quelques gamines ? Je m'abstiens, encore une fois, de tout commentaire, même si je suis indignée.

— On ne devrait pas vous demander vos cartes, mais, si jamais on le fait, vous sortez du bar sans discuter.

Nous hochons toutes la tête, bien d'accord avec cette seule règle sensée qu'on nous formule depuis notre arrivée ici.

— Bon, alors on y va ? continue-t-il en dégustant les dernières gouttes de son expresso.

Dans la rue, en nous rendant jusqu'au bar, Sunny nous explique les défis de travailler la nuit.

— C'est difficile, parce que j'ai un rythme de vie bien différent de celui de mes amis. Je me couche vers dix heures le matin et me lève alors que tout le monde s'apprête à souper. C'est déroutant de vivre à l'envers de tous.

— Et qu'est-ce qui t'a amené à devenir un DJ à New York ? demande, légitimement, Ellie.

Sunny nous explique donc qu'il est originaire de Saint-Eustache. Il a toujours été un grand fan de musique. Il a un jour été amené à remplacer un de ses amis DJ qui travaillait dans un bar à Montréal et a eu la piqûre de ce métier. Il a travaillé pendant plusieurs années dans la métropole québécoise avant de se faire remarquer par un chasseur de têtes. Il a d'abord mixé à Los Angeles puis a récemment fait le saut sur la côte est, à New York. D'apprendre qu'il est un genre de vedette du milieu impressionne beaucoup mes copines, mais moi, c'est autre chose qui me fascine.

— Comment c'est, L.A. ?

Il s'arrête un moment et réfléchit à sa réponse.

— C'est électrisant. Chaque coin de rue, on l'a vu dans un film. Un fan de cinéma qui débarque à L.A. pour la première fois, c'est un peu comme un enfant qui découvre Walt Disney. C'est le Magic Kingdom des cinéphiles.

— Maude adore le cinéma, mentionne alors Emilia pour le mettre en contexte.

— Alors, tu dois y aller un jour, poursuit-il, comme excité de parler avec un autre spécimen de sa race. Quand j'ai visité les studios de Warner Brothers, je pensais pleurer tellement j'étais ému de marcher dans ces décors légendaires.

Il remâche quelques souvenirs silencieusement avant de poursuivre :

— Il faut dire que nous ne sommes pas en reste à New York. Il y a aussi beaucoup d'endroits que tu te rappelleras avoir vus au cinéma, mais

Los Angeles a un cachet que New York n'aura jamais, à mes yeux. Et, en plus, il y fait presque toujours beau. C'est d'ailleurs pour ça que les grands studios se sont installés là au début du XXe siècle. Le fait qu'il ne fait pas vraiment très froid et qu'il y pleut rarement les a convaincus de choisir la cité des anges.

— Pourquoi es-tu parti ? lui demandé-je, intriguée.

— Une rupture difficile, un besoin de changement, une offre alléchante de la part d'une personne renommée et un salaire qui me permet de m'offrir un condo avec vue sur le parc.

— Toutes de bonnes raisons, complète Ellie.

Je ne suis personnellement pas convaincue qu'une chose pourrait me persuader de quitter Los Angeles si un jour j'avais la chance d'y vivre, mais qui suis-je pour le juger ? (Je suis soudainement beaucoup plus tolérante envers lui depuis que je sais qu'il a habité L.A. ; un argument assez pauvre pour quelqu'un d'aussi critique que moi, je m'étonne moi-même).

Lorsque nous arrivons au coin de rue suivant, Sunny nous montre une file de gens endimanchés qui attendent en rang, frissonnant dans leurs manteaux de printemps.

— Vous avez la chance ce soir de ne pas patienter pendant des heures sur un trottoir glissant en talons hauts. Beaucoup de filles tueraient pour être à votre place.

Je donnerais illico ma place à l'une de ces *party girls*, me dis-je en les lorgnant qui grelottent sur la chaussée en minijupe.

Sandrine, Ellie et Emilia sont maintenant survoltées. Elles essaient de se contenir un peu pour ne pas avoir l'air de fillettes inexpérimentées (ce qu'elles sont, je le rappelle) devant le cousin d'Aurore, mais elles se tiennent les mains les unes les autres et laissent échapper de petits cris d'émoi toutes les trente secondes. Arrivé à quelques mètres de la porte secrète, Sunny s'arrête et nous demande d'agir normalement, comme si nous avions notre place dans ce bar.

— Je ne veux éveiller les soupçons de personne, précise-t-il.

— Tu ne nous as pas dit que ton patron faisait ça souvent, tout à l'heure? poursuis-je, un peu inquiète qu'il nous ait menti.

— Oui, mais ce sont toujours des non-dits.

Aucunement rassurée, je suis mes amies lorsqu'elles traversent le portail de la rébellion. Comme si mon inconscient tentait de me convaincre, je revois en un flash cette pierre tombale sur laquelle il serait écrit: «Si Maude les avait accompagnées, rien de tout cela ne serait arrivé.»

Nous débouchons dans une pièce adjacente à la discothèque. La musique est assourdie par l'épaisseur des murs de briques. Nous pouvons donc encore nous parler sans devoir crier. J'entends Sandrine remercier Emilia de lui donner la chance de vivre ce moment et je crois même ouïr les battements du cœur d'Ellie tellement l'adolescente est énervée (mais ce n'est peut-être que le martèlement régulier de la musique techno qui joue de l'autre côté du miroir). Nous montons de vieux escaliers dans une obscurité presque complète pour rejoindre une porte de fer recouverte d'un vernis doré. Sunny se retourne vers nous et nous explique ce que nous retrouverons dans ce monde parallèle auquel nous n'appartenons pas.

— Cette porte mène au deuxième étage de la discothèque. Un endroit un peu plus *lounge*. La piste de danse est au premier. Il serait préférable que vous ne consommiez pas d'alcool. Juste au cas où les barmaids auraient des doutes et décideraient de vous carter.

Nous hochons toutes la tête, angoissées.

— Êtes-vous prêtes à faire la fête ? déclare alors Sunny en agrippant la poignée.

Emilia, Ellie et Sandrine répondent un « oui » enthousiaste et le DJ ouvre la porte.

La musique est assourdissante. Il faut probablement quelques minutes pour s'habituer aux forts décibels qui résonnent entre ces murs. J'ai même le réflexe de cacher mes oreilles de mes mains pour prévenir une explosion imminente de mes tympans. La lumière stroboscopique passe du bleu au blanc, au rose, au mauve. Il faut aussi un temps aux yeux pour s'acclimater, j'imagine. Les ressemblances entre une discothèque bondée et l'enfer sont quand même nombreuses; la chaleur, l'odeur, la douleur (aux pieds à cause des talons, aux yeux à cause des éclairages, aux oreilles à cause de la musique et à la tête à cause des éclairages et de la musique) et la peur. Évidemment, ce dernier élément est probablement plus spécifique de ma propre expérience. Je ne crois pas que beaucoup de clients sont effrayés de se retrouver dans cet établissement rempli au maximum de sa capacité, mais moi, je le suis. J'ai l'impression d'atterrir subitement dans un mauvais film de vampires (vous savez, ces œuvres gothiques où des êtres assoiffés de sang attendent dans la pénombre avant de croquer le cou de leur victime sous des airs technos, non? *Queen of the Damned*? *City of Bones*? *Blade*?).

Quand je trouve le courage de décoller mes mains de mes oreilles, je m'approche de la rambarde pour observer les danseurs. Ma métaphore de l'enfer prend alors une tout autre dimension. La nuée d'individus, empilés les uns sur les autres, donne l'impression d'un essaim de martyrs en train d'affronter les contrecoups de leurs vices passés, et le DJ sur son piédestal ressemble drôlement à Satan qui domine et examine ses sujets terrifiés.

On incite d'ailleurs le nouveau DJ à prendre place sur la plateforme. La voix électronique présente en grande pompe le DJ Delight. Il me faut quelques secondes avant de comprendre le lien entre son prénom et son nom d'artiste : DJ Sunny Delight ; il me faut toutefois moins de temps pour être consternée par ses goûts douteux. Qui veut prendre une marque de jus d'orange comme blason ? Je crois que j'aurais préféré DJ Sexy ou DJ 007 (ce qui aurait indéniablement manqué d'originalité et d'humilité) à Sunny Delight. Je m'accroche au bras d'Emilia pour lui faire part de mon dégoût. Pour elle aussi, qui n'avait toujours pas compris la signification du pseudonyme, c'est le désenchantement immédiat. Elle explique ensuite à Ellie et à Sandrine — en leur criant dans l'oreille — la raison de notre bouleversement soudain. Les filles sont hilares, mais beaucoup moins troublées que je ne le suis. La fille qui s'appelle Aurore, son cousin qui se surnomme lui-même Sunny Delight, je n'ai aucune envie de connaître le reste de la famille (non, pas de commentaires sur le nom de mes sœurs s'il vous plaît). Heureusement, ce n'est pas dans mes plans de fraterniser davantage avec l'apport en vitamine C et sa cousine, la Belle aux bois dormant (j'ai déjà suffisamment de princesses dans ma vie, merci beaucoup). Juste le voir se dandiner sur la scène me donne envie de quitter cet endroit qui ne me ressemble pas du tout.

— On va danser ? demande Sandrine après s'être allègrement moquée de Sunny D.

Emilia et Ellie sont évidemment emballées par l'idée de la jeune femme. Bientôt, elles se précipitent vers les escaliers pour rejoindre le groupe de damnés au premier étage. Personne ne me pose la question, connaissant probablement déjà la réponse et ne voulant pas l'entendre. Légèrement inquiète qu'on m'abandonne aux mains d'un des serfs du diable, je les suis à contrecœur. Nous traversons la nuée de corps en sueur pour nous installer « dans un spot » (leur terme d'ados cool) qui convient à Son Altesse Emilia. J'ai l'impression que tous les regards sont tournés vers moi : qu'est-ce que des enfants font dans un bar ? semblent-ils tous se dire. J'ai envie de leur répondre que l'enfant aux cheveux bruns emmêlés et aux vêtements dépareillés a été entraînée par les trois fillettes trop maquillées et qu'elle cherche en ce moment même une bonne raison de décamper.

Emilia, Ellie et Sandrine entament leur danse aguichante pendant que, les bras croisés, j'essaie de me pincer pour m'assurer que tout ça n'est pas un rêve et que je n'ai pas la possibilité de fuir ce malaise simplement en ouvrant les yeux. Malheureusement, ce n'est pas un cauchemar.

L'enfer est véritablement à mes pieds. J'imagine la police débarquer et nous brutaliser jusque dans leur voiture pour ensuite nous projeter dans des prisons insalubres. Mais toujours, l'image de la pierre tombale me revient en tête et arrive à compenser la première.

— Amuse-toi, crie alors Sandrine pour que sa voix s'élève par-delà la musique.

Lorsqu'elle voit que je ne réponds pas à son commentaire, elle s'approche et poursuit son discours de motivation :

— Ce ne sont pas toutes les filles qui ont la chance de vivre ça, dit-elle en montrant de ses mains le lieu dans lequel nous nous trouvons. Nous avons à peine seize ans et nous sommes dans une discothèque à New York, c'est malade ! hurle-t-elle comme une démente (je me dis alors que cet endroit ressemble peut-être à l'enfer parce qu'il arrive à transformer ses visiteurs en déséquilibrés mentaux).

Elle a parlé si fort que je ne serais pas étonnée que le message se soit rendu jusqu'au portier, quelques mètres plus loin. Heureusement, nous parlons français, donc, même s'il avait entendu mon amie nous *stooler*, il n'aurait pas saisi la signification de ses paroles.

Elle a tout de même raison, mon amie crédule ; tant qu'à être ici, dans ce lieu qui nous est généralement interdit, pourquoi ne pas nous amuser un peu ? Je décide donc de me relâcher un brin et de me dandiner au rythme de la musique. J'ai dansé près d'une heure avant que Sunny D. vienne nous retrouver. Mes amies étaient bien heureuses de le voir se pointer à nos côtés, mais son air paniqué a rapidement freiné leurs ardeurs.

— Qu'est-ce qui se passe ? suis-je la première à demander.

— Il y a des rumeurs que la NYPD s'apprête à faire une descente. Je ne suis pas certain que notre source dise vrai, mais ce serait préférable que vous partiez.

Dès lors, mon côté dévergondé (très, très peu développé), qui avait pris le contrôle de moi pendant un moment, disparaît sous les ordres de ma rationalité dévorante. J'empoigne la main de mes trois copines et nous nous faufilons, telles des forcenées, jusqu'à la porte par laquelle nous sommes entrées. Je crois que Sunny s'adressait toujours à nous quand nous avons quitté la foule, mais je n'avais plus rien à faire de ses conseils ou de ses recommandations. J'avais une fois de plus raison et on avait réussi à me convaincre du contraire ; j'étais déçue de m'être encore fait embobiner. Nous poussons la porte dorée de toutes nos forces, mais elle ne bouge pas ; nous sommes coincées dans une cage qui sera bientôt remplie de poulets agités. Sunny arrive alors en courant pour nous libérer. Il enfonce une clé dans la serrure et nous permet ainsi de quitter l'enfer et ses péchés. En refermant la porte, il crie : « Bonne chance ! » et disparaît. Je crois entendre des sirènes au loin. Sandrine pleure en répétant : « Ma mère va me tuer, ma mère va me tuer. » Ellie la console en lui chuchotant que tout va bien aller alors qu'Emilia paraît particulièrement calme. Maintenant habituée à jouer à l'espionne, Ellie s'empresse de prendre les devants pour s'assurer qu'il n'y a aucun témoin dans la ruelle dans laquelle nous nous préparons à débouler.

— Le chemin est libre, dit-elle en nous faisant signe de nous approcher.

Une fois dehors, nous courons à toute vitesse pour rejoindre une rue passante et disparaître dans la foule. Lorsque c'est chose faite, nous éclatons d'un rire nerveux, comme si nous avions failli sauter sur une mine antipersonnel.

Lorsque nous nous enfonçons dans le taxi, nous nous marrons encore, déboussolées par la soirée que nous venons à peine de vivre. Ellie a même du mal à donner l'adresse de notre hôtel au chauffeur tellement elle est sonnée. Quand nous reprenons enfin notre souffle, Emilia s'empresse de dire :

— Dis-le, Maude : tu nous avais prévenues ; allez, nous allons l'accepter cette fois.

— Ouin. Nous aurions dû l'écouter, poursuit Ellie. Mon cœur aurait pu me lâcher à n'importe quel moment ce soir tellement j'ai vécu une ribambelle d'émotions fortes. Je ne suis pas équipée pour endurer tant de stress.

— Oui, mais, si nous avions été sages et avions écouté Maude, nous n'aurions pas cette extraordinaire anecdote à raconter à nos petits-enfants, continue alors Sandrine, tout sourire.

Je dois l'avouer, cette histoire sera probablement l'une des meilleures que j'aurai la chance de raconter un jour à ma progéniture ou même à mes amis qui me croient si obéissante.

Nous rigolons encore quand le taxi nous dépose devant l'hôtel. Les portes automatiques s'ouvrent et nous pénétrons dans l'immeuble, tâchant toujours de ne pas paraître anormales aux yeux de la réceptionniste, maintenant une vieille femme au regard ridé.

Nous nous arrêtons net lorsque nous apercevons Maxime, assis dans un divan, nous fixant sévèrement.

— Bonne soirée, les filles ? dit-il simplement.

Personne, visiblement, n'avait prévu ce que nous devions dire si quelqu'un nous surprenait, si nous nous faisions prendre sur le fait. Nous ne répondons pas, trop troublées de le voir assis là, impassible et froid.

— S'il te plaît, Max, ne dis pas ça à ma mère ! s'exclame alors Sandrine en laissant perler quelques larmes sur ses joues froides.

— On va aller discuter dans votre chambre, les filles, lâche alors Maxime en guise de réponse.

Mon beau-frère nous accompagne donc jusqu'à notre chambre. Nous sommes toutes très honteuses. La tension est à son comble dans l'ascenseur alors que Sandrine pleure et qu'Ellie tremble, ajoutant une autre émotion forte à sa collection de la soirée. Elle a peine à débarrer la porte tellement ses mains gigotent. Une fois que nous sommes tous entrés dans la pièce, Maxime commence son baratin :

— Je ne vous pensais pas si naïves, les filles. Vraiment, vous me décevez. Vous êtes allées où ?

Il ne nous laisse pas le temps de répondre et poursuit de plus belle :

— Ce n'est pas le Québec, ici. C'est dangereux, New York, surtout la nuit. Imaginez-vous ce qui serait arrivé si vous vous étiez fait enlever ou si vous vous étiez juste perdues. Qu'est-ce que vous pensez qui serait arrivé aux profs qui devaient vous surveiller ? C'était égoïste, comme geste.

Je ne pensais jamais que je me ferais un jour faire la leçon par Maxime, celui qui abuse de l'autobronzant et qui est amoureux de ma sœur la plus odieuse.

— Du calme, Maxime, tu en as fait, des conneries, toi aussi, quand tu étais jeune, j'en suis certaine, répliqué-je.

Cette situation ne pouvait mieux tomber pour mes amies, parce que, devant mon beau-frère, je me rangerai toujours de leur côté, et elles s'en aperçoivent bien maintenant. Elles sont d'abord secouées par le fait que j'abonde dans leur sens, mais comprennent rapidement que le narcissique professeur d'éducation physique ne gagnera jamais contre moi. Comme j'ai choisi de plaider la jeunesse, elles ne peuvent rien faire de plus que de compenser avec des paroles plus rationnelles :

— On sait qu'on a été *estúpidas*, Max, tu as raison, lance alors Emilia.

Je suis plutôt étonnée d'entendre mon Emilia s'excuser ainsi. Peut-être que l'autorité de Maxime est plus évidente pour l'œil d'une personne dont la sœur n'a pas été ensemencée (oui, ensemencée) par l'égocentrique entraîneur. Mais, pour moi, elle est indiscernable.

— Est-ce que Marie-Josée et les autres savent ?

Il attend un moment avant de répondre, question de faire durer le suspense.

— Non, je ne l'ai dit à personne. Ta sœur voulait te parler, Maude, alors je lui ai dit que je t'apporterais le cellulaire, mais quand j'ai cogné vous ne répondiez pas. Je suis allé chercher une autre clé au rez-de-chaussée et je suis entré pour voir ce qui se passait. Vous n'étiez plus là. J'ai d'abord cru qu'il était arrivé quelque chose de grave, parce que je me disais que partir ainsi ne te ressemblait pas beaucoup, mais, quand je me suis rendu compte que tu étais avec ces trois-là, j'ai compris que tu t'étais fait embobiner une fois de plus.

Je ne pensais pas que Maxime pouvait être aussi lucide.

— Merci de ne pas l'avoir dit, précise Ellie.

Nous sommes toutes soulagées qu'il n'ait pas alerté ses collègues.

— Si j'avais parlé, c'est tout le groupe qui aurait été puni, et il ne mérite pas de payer pour vos conneries. J'espère que vous vous êtes amusées, en tout cas, parce qu'à partir de maintenant je vous ai à l'œil et il n'y aura plus d'entorses permises. À la moindre désobéissance, j'avoue tout et de graves conséquences vous attendent.

Nous sommes muettes, craintives des châtiments auxquels nous aurons droit si Maxime décide de parler.

— Maintenant, allez vous coucher, on a une grosse journée demain et vous n'avez que quelques heures pour vous reposer.

Il quitte alors la chambre et nous laisse à nos démons.

— Ouf, on l'a échappé belle, décoche alors Emilia.

— Une chance qu'un membre de ta famille était là, Maude, parce qu'on aurait été cuites ! continue Sandrine en se dirigeant vers sa valise pour en sortir son pyjama.

— Ce n'est pas vraiment quelqu'un de ma famille. Nous n'avons aucun lien de sang, je ne veux pas être associée à quelqu'un parce que ma sœur a choisi de le laisser entrer dans sa vie.

— OK, OK, Maude, du calme.

Il semblerait que j'aie été particulièrement agressive en dénonçant mes liens familiaux avec le Narcisse d'Ariel.

— Mais là, plus de conneries, les filles. Je ne veux pas que ma mère sache ça, crie Sandrine depuis la salle de bain.

— Elle a vraiment un problème avec sa mère, elle, hein ?! chuchote Emilia à Ellie.

Ellie fait signe à la Latina qu'il s'agit d'un sujet délicat et que même les chuchotements dans son dos sont proscrits. Emilia ne renchérit donc pas.

— C'est fini certain, les conneries, réponds-je. On en a fait suffisamment pour l'année !

— Ben voyons, Maude, l'année vient à peine de commencer, me lance ma meilleure amie, amusé par sa propre réflexion.

Nous nous installons toutes dans nos lits respectifs, après avoir revêtu nos pyjamas, et nous élançons dans les bras de Morphée pour quelques (deux-trois) heures.

Chapitre 5

La grande dame verte

Quand Maxime frappe à la porte pour nous réveiller le lendemain (en fait, ce n'est pas vraiment le lendemain, mais juste plus tard dans une journée qui a commencé trop tôt), nous grognons en chœur. Je mets mon oreiller sur ma tête en me disant que, si je n'entends plus le bruit, peut-être disparaîtra-t-il (il est très tôt et je n'ai pas beaucoup dormi, je vous le rappelle, ne me jugez pas trop sévèrement). Mon beau-frère s'en donne à cœur joie, sachant très bien que ce vacarme matinal nous dérange. Il n'arrête que lorsque Sandrine, suffisamment harassée par les coups pour se lever, va ouvrir la porte d'un geste théâtral. Elle découvre dans l'embrasure un Maxime au sourire moqueur qui la défie du regard. N'étant pas d'humeur à jouer, elle referme la porte d'un claquement violent.

— Allez, les filles, faut assumer, dit-elle en sélectionnant les quelques morceaux de linge qu'elle enfilera aujourd'hui.

Je choisis de leur servir un autre « Je vous déteste » bien senti (le troisième ou quatrième depuis notre départ ; une bonne moyenne quand même) avant de mettre le premier pied à terre. J'ouvre ma valise et tente de dénicher des vêtements — pas trop fripés — à me mettre sur le dos. Emilia prend la salle de bain la première. Elle applique une couche (ou deux) de fond de teint sur ses énormes cernes pour que nos incartades de la nuit dernière ne soient pas révélées par son visage défait. Elle m'appelle même plusieurs minutes après pour m'en flanquer un peu à moi aussi. Sandrine et Ellie passent également sous le pinceau de la maquilleuse. Je suis personnellement très peu convaincue que c'est un produit L'Oréal qui m'empêchera d'être soupçonnée, mais, comme pour Emilia l'apparence est d'une importance cruciale, je ne m'obstine pas et la laisse jouer à la poupée.

Manteaux et sacs en main, nous nous dirigeons au rez-de-chaussée, où nous est servi notre petit déjeuner continental. Comme il n'y a rien de plus suspect que des filles qui essaient d'avoir l'air normal (nous avons déjà discuté de cette évidence auparavant), Sandrine, Ellie et Emilia ont l'air coupables d'un meurtre au premier degré lorsqu'elles entrent dans la pièce. Elles paraissent fautives avant même d'ouvrir la bouche.

Après avoir rassemblé ce qui constituera mes forces pour la journée (muffin son et blé entier, croissant avec confiture aux fraises, orange et jus de pomme), je m'installe à une table avec les délinquantes et leur fais part de mes impressions quant à leur attitude condamnable.

— Les filles, s'il vous plaît, faites des efforts. Là, je suis persuadée que tout le monde qui vous regarde sait que vous avez quelque chose à cacher.

Nous jetons un coup d'œil autour de nous pour nous assurer que cinquante élèves ne nous dévisagent pas, amusés. Heureusement, il n'y a que quelques regards vides qui se perdent sur nos corps épuisés. Personne n'a la moindre idée que nous avons posé un geste qui pourrait avoir raison du reste de ce voyage et de celui que sont censés faire les élèves de quatrième secondaire l'an prochain. Nous zieutons discrètement Maxime pour vérifier qu'il n'a pas décidé de partager sa découverte avec les autres responsables ce matin. Comme les professeurs accompagnateurs ne semblent pas pris d'une panique soudaine, nous convenons que mon beau-frère n'a pas été le mouchard que j'ai toujours pensé qu'il serait en de telles circonstances.

Il n'a peut-être pas révélé notre secret à ses égaux aujourd'hui, mais je suis persuadée qu'il se fera un plaisir d'en tirer une délicieuse anecdote qu'il racontera lors d'un souper familial, espérant que mes frasques étudiantes aient un impact négatif sur ma réputation de jeune femme mature et raisonnable.

Je donne un coup de pied à Sandrine sous la table pour qu'elle ne s'endorme pas dans son bol de céréales Frosted Flakes. La journée sera longue et pénible pour les fugueuses. Fort heureusement, nous n'avons pas consommé d'alcool, parce qu'un lendemain de brosse d'adolescentes inexpérimentées aurait été beaucoup plus difficile à cacher qu'un simple manque de sommeil comme celui qui nous tenaille en ce moment.

À peine ai-je terminé mon repas, censé me ressusciter, qu'on nous indique (sur des tonalités trop aiguës pour mes oreilles somnolentes qui furent précédemment violées par une musique techno assourdissante) qu'il est temps de rejoindre l'autobus et son chauffeur à l'extérieur. Il fait froid dehors. Beaucoup plus froid qu'hier et la nuit dernière (ou peut-être est-ce l'exténuation qui influence mon bon jugement). Marie-Josée nous indique qu'on se dirigera d'abord vers Battery Park pour prendre un bateau qui nous amènera jusqu'à la statue de la Liberté. Elle nous précise que nous ne nous arrêterons pas sur Liberty Island pour visiter le monument, parce que nous perdrions trop de temps. Elle nous dit

On peut voir flotter au loin une silhouette qu'on croit être la statue de la Liberté. Il s'agit d'un monument important et il est toujours grisant de s'approcher d'un symbole comme celui-ci, et ce, même si les renseignements en lien avec sa création et sa construction ne nous émeuvent guère.

Un bruit de sirène se fait alors entendre et le bateau quitte le port pour s'aventurer sur les eaux houleuses. Pendant que nous voguons jusqu'à la statue, Marie-Josée se risque à nous raconter l'histoire d'Ellis Island, l'île voisine de celle qui supporte la femme de cuivre. Elle crie pour qu'on l'entende malgré le fort bruit du moteur:

— Au début du XXe siècle, Ellis Island était l'endroit qui accueillait les immigrants qui débarquaient aux États-Unis. Elle permettait de les isoler du reste de la population et les empêchait de s'enfuir.

Évidemment, son allocution sur Ellis Island n'est pas plus appréciée que celle sur la statue de la Liberté. Les garçons crachent par-dessus bord (une activité passionnante, si on se fie à leurs éclats de rire sentis) et les filles prennent des photos de tout ce qu'elles voient avec leur téléphone cellulaire (plus) intelligent (qu'elles). Sandrine est penchée sur la rampe du bateau et regarde les vagues se casser sur la coque.

— Ça va? lui demandé-je.

qu'il faut attendre des heures en file indienne pour espérer entrevoir l'intérieur de la célèbre statue. Un temps d'attente que personne n'est prêt à assumer.

Après à peine dix minutes de route, l'autobus s'arrête aux abords d'un petit parc adorable sur les berges du fleuve Hudson, où des amuseurs de rue s'exécutent déjà, au grand plaisir de quelques touristes qui applaudissent après chaque culbute des performeurs.

Il semble que nous ne sommes pas les seules à avoir peu dormi la nuit dernière. Les étudiants bâillent, s'étirent et se frottent les yeux en se dirigeant nonchalamment vers l'endroit indiqué par notre professeure, travestie pour l'occasion en guide touristique. Nous attendons que le bateau à trois étages soit prêt à nous accueillir. Nous frissonnons dans nos manteaux de printemps *pimpés* avec un chandail de laine, un foulard et des mitaines. Sur le fleuve souffle un vent glacial qui nous fait regretter les draps chauds dans lesquels nous étions enveloppés il y a à peine deux heures de cela. Marie-Josée — peut-être pour nous amener à penser à autre chose et ainsi nous aider à nous réchauffer — nous communique quelques informations constructives au sujet de la construction du monument historique que nous sommes sur le point de découvrir.

— La statue de la Liberté est en fait un cadeau offert par les Français aux Américains pour célébrer le centenaire de la Déclaration d'indépendance américaine. L'idée de la sculpture vient du juriste Édouard de Laboulaye. Elle représente la liberté, évidemment, et l'émancipation d'un peuple opprimé.

Personne n'écoute vraiment l'enseignante, qui paraît pourtant passionnée par le sujet. Dès qu'un professeur nous raconte quelque chose et que nous sommes persuadés que ladite information ne figurera pas dans un examen quelconque ou un test-surprise, c'est instinctif, nous ne sommes plus attentifs. Ce n'est pas de la mauvaise foi, il s'agit simplement d'un réflexe. Les adolescents sont une race particulière qui agit parfois (toujours) par impulsion et, lorsqu'on tente de leur insuffler des connaissances qui ne seront utiles qu'à leur culture personnelle, ils les rejettent spontanément. Pourtant, Marie-Josée et tous les autres adultes qui essaient sans relâche de cultiver l'adolescent moyen ont déjà été jeunes et stupides; mais avec la maturité vient aussi l'âge (et vice versa). Et, avec l'âge, on oublie ces choses pourtant évidentes quand on regarde un groupe de jeunes du secondaire qui préfèrent admirer des pigeons se battre pour un morceau de pain plutôt que d'acquérir de nouvelles connaissances délivrées par une femme motivée et brillante. Il y a toujours, évidemment, les petits génies qui se nourrissent des paroles des enseignants et qui

leur permettent probablement de ne pas tous faire des burn-out à quarante ans. Je ne fais malheureusement pas partie de ces cerveaux qui finiront premiers de leur classe de médecine et seront des as dans leurs spécialités respectives. J'aimerais m'intéresser à ce que Marie-Josée raconte, vraiment. Mais c'est plus fort que moi, c'est une réaction mécanique que d'ignorer les discours pédagogiques. Je suis une victime, tout simplement.

Quand elle termine son exposé sur la statue de la Liberté, Marie-Josée nous invite à rejoindre le pont du bateau. Nous nous lançons vers l'embarcation comme si nous avions peur qu'elle continue à nous éduquer si égoïstement. Le bateau tangue, tellement notre arrivée est brusque. Marie-Josée hurle « Calmement et respectueusement, s'il vous plaît ! » pour tenter de maîtriser son groupe qu devient de plus en plus indocile (et il n'est mêm pas encore dix heures). Les autres passagers no observent avec un léger dédain, celui qu'on accor à des gens qu'on préférerait ne pas fréquenter m avec qui on doit s'acoquiner pour faire plaisir à amis ou des membres de notre famille. *Canadiens français ne savent pas vivre*, diro peut-être à leurs amis en racontant leur esc sur le fleuve Hudson. Nous sommes plutôt i trôlables, il faut l'admettre. L'excitation considérablement réchauffés.

— J'ai mal au cœur, me dit-elle en serrant les dents.

— Elle a le mal de mer, me précise alors Ellie, qui flatte le dos de son amie, ne pouvant être plus utile pour apaiser sa douleur.

Quand nous approchons du monument, les « ooooo » et les « aaaaaa » s'additionnent aux bruits du moteur et à celui du déclic des appareils photo numériques. Personnellement, les images qui me viennent à l'esprit à la vue de la légendaire statue sont celles de la scène finale de *X-Men*, quand Malicia est retenue prisonnière par Magneto à son sommet et que Wolverine vient la secourir. Comme en ce moment je me sens plus *geek* que jamais je ne l'ai été, je décide de ne pas partager avec mes amies cette vision impromptue des personnages de Marvel.

Sandrine se lève à peine les yeux pour observer l'emblème new-yorkais. La beauté de la dame de cuivre n'est pas suffisante pour endormir son malaise. Il n'y a qu'Ellie qui ose rester près d'elle. Tous les autres s'éloignent méticuleusement pour que la malade ne dégurgite pas sur eux. Même Emilia recule discrètement. De mon côté, je ne suis pas aussi écœurée que mes confrères. Je reste donc tout près de Sandrine, dont la couleur de peau passe progressivement du beige au vert. Ayant remarqué l'étrange migration des élèves depuis le sud vers le nord du bateau, Marie-Josée s'approche de nous pour constater l'incommodité de notre fragile copine.

— Ça va, Sandrine?

— Avez-vous une autre question? répond la jeune femme, contrariée par le mouvement houleux de l'embarcation.

— Ce ne sera pas très long, ma belle. On ne fait qu'une excursion de vingt minutes.

Je ne pense pas que le terme « excursion » s'applique lorsqu'il est question d'une balade de vingt minutes sur un fleuve pour observer une statue, mais qu'est-ce que je connais aux activités nautiques touristiques?

Les quatorze autres minutes de l'« excursion » s'avèrent cauchemardesques pour la pauvre Sandrine, qui semble s'abstenir d'être malade devant les autres élèves pour ne pas être étiquetée toute sa vie (j'en mets un peu; disons pour le reste de son secondaire) comme « la fille qui a vomi sur le bateau à New York » ou se faire affubler d'un surnom ridicule comme la « vomisseuse » ou la « dégobilleuse » (dois-je vous rappeler que les adolescents sont cons ou vous êtes conscients de leur imbécillité et qu'une situation comme celle-là est tout à fait probable?). Une fois que nous avons vu le monument, avons pris quelques photos et que la plupart des élèves présents ont *updaté* leur mur, la promenade en bateau n'a plus beaucoup d'intérêt. Bientôt, l'excitation disparaît et tous les étudiants sont rivés à l'écran de leur téléphone, à vérifier leurs courriels et à éplucher leur fil d'actualité. Marie-Josée paraît exaspérée par l'attitude de ses voyageurs. Quand nous avons quitté le large et que Sandrine en est presque à embrasser la terre ferme, la professeure nous prend à part, à l'ombre d'un arbre, pour nous faire la leçon.

— Vous n'êtes pas dans la cour d'école, vous êtes à New York. Qui sait quand vous aurez la chance de revenir ici. Je trouve inacceptable que vous ayez le nez collé sur votre cellulaire. C'est pourquoi j'ai décidé de tous vous les confisquer.

Les adolescents regardent l'enseignante comme si elle venait de blasphémer. D'abord, ils ne croient pas qu'elle osera mettre ses menaces à exécution, mais, lorsqu'elle précise que nous n'irons pas à notre deuxième activité de la journée tant et aussi longtemps qu'elle n'aura pas récupéré tous les téléphones dans le sac réutilisable qu'elle tient entre ses mains, la panique s'empare de la foule. Les « C'est injuste, madame », « Vous ne pouvez pas nous faire ça » fusent de toutes parts, mais l'institutrice reste de glace. Elle ouvre son sac et s'approche de chacun des élèves, un par un, pour qu'ils y glissent leur précieux téléphone. Certains y vont même de menaces pour arriver à faire changer d'avis la professeure : « Je suis certain que c'est une entrave à notre liberté d'expression, mes parents vont vous poursuivre. »

— Qu'ils me poursuivent ! répond-elle, pas le moins du monde importunée par les commentaires séditieux du fils d'un avocat et d'une juge à la Cour suprême.

— Mais Madame, notre téléphone, c'est aussi notre appareil photo, poursuit une jeune femme au bord des larmes.

Plus douce, la professeure garde sa position :

— Prends des photos avec tes yeux ma belle. Je te promets que je vais vous les remettre si vous restez disciplinés et me prouvez que vous méritez cette faveur.

L'étudiante émotive finit par abdiquer, voyant que ses chances de la convaincre sont nulles.

Lorsque Marie-Josée a confisqué tous les cellulaires des élèves, dévastés par la cruauté de son geste, elle nous indique que nous pouvons regagner l'autobus. Tous réintègrent donc le véhicule, l'air piteux. Le chauffeur nous dévisage de façon perplexe, peut-être inquiet de ce que nous avons pu voir ou entendre au cours de notre périple maritime vers la statue de la Liberté. Lorsqu'elle s'installe auprès de ses étudiants frustrés, Marie-Josée prend bien soin d'aviser le conducteur du geste contesté qu'elle a osé poser et ce dernier ne peut que rigoler de voir tant de visages dépités pour une chose si anodine. Il ajoute même un prévisible « Dans mon temps, nous n'en avions pas, de technologies du genre, et on vivait bien quand même », rengaine que tous les vieux radotent jusqu'à ce qu'ils contreviennent à leurs beaux principes et se procurent eux aussi l'un de ces appareils qui permettent de naviguer sur Internet et de jouer à des jeux de patience. D'ailleurs, Skype est une véritable révolution, une innovation inespérée pour ceux qui étaient suffisamment vieux lors de l'Expo 67 pour rêver qu'un jour les avancées technologiques iraient jusqu'à nous permettre de voir notre interlocuteur au téléphone. Maintenant, en plein cœur de cette ère informatique, on a compris que, la plupart du temps, voir la personne à l'autre bout du fil est complètement inutile (mais ne le leur dites pas, ils pourraient s'en offenser).

Marie-Josée reprend la parole lorsque l'autobus démarre.

— Je comprends votre colère, mais je veux que vous regardiez autour de vous, je veux que vous appréciiez cette ville que vous étiez tous, pourtant, si excités de visiter.

Le silence règne dans l'habitacle. Il faudra probablement plus que quelques minutes aux enfants gâtés pour accepter d'avoir été ainsi trahis par une enseignante qui n'est en poste que depuis janvier. Maintenant démunis de toute nouvelle technologie, les jeunes font une chose absolument abasourdissante ; ils regardent la ville par les fenêtres plutôt qu'à travers la caméra de leur cellulaire. Certains lancent même quelques clameurs d'admiration en observant la structure d'édifices particuliers, et en percevant leur gigantisme. Ils n'avaient pas remarqué jusqu'ici tout leur faste, brimés qu'ils étaient par la petitesse de leur écran de téléphone portable. Les grands moyens de Marie-Josée ont donc un impact sur plusieurs, qui ne l'avoueront jamais, même sous la torture, mais qui prennent peu à peu conscience de la dépendance qu'ils ont à cet objet qui pense à leur place. Peut-être pourrait-on même affirmer — en poussant un peu la note — que les cellulaires sont la nouvelle religion à la mode.

— Nous nous dirigeons maintenant vers Ground Zero, l'endroit où s'élevaient auparavant les tours jumelles, précise Marie-Josée. Quelqu'un sait ce qui s'est passé le 11 septembre 2001 ? Est-ce qu'une personne voudrait l'expliquer aux autres qui ne le sauraient pas ?

(Parce qu'ils auraient été cachés dans un bunker depuis leur naissance).

Une élève habituée de répondre aux questions des institutrices s'empresse de lever la main.

— Oui, Clara, fait Marie-Josée.

— Des avions, pilotés par des terroristes d'Al-Qaïda, ont frappé les deux tours du World Trade Center successivement. Il y a eu pas loin de trois mille victimes.

— Merci, Clara.

— Qu'est-ce que vous faisiez, vous, madame, lorsque les avions ont frappé les tours? demande alors une étudiante, assise au fond de l'autobus.

Marie-Josée paraît inconfortable à l'idée de devoir répondre à cette question. Comme si ça faisait ressurgir de mauvais souvenirs.

— J'étais à l'école. J'avais votre âge. Au début, on ne savait pas ce qui se passait.

Personne ne reprend le fil de la conversation; nous attendons tous que Marie-Josée poursuive son histoire. L'institutrice n'a donc d'autres choix que de continuer.

— Aucun enseignant n'avait regagné sa classe après la première pause du matin. Ils écoutaient tous la télévision dans la salle des professeurs. Nous nous promenions dans les corridors, cherchant un adulte responsable qui pourrait nous expliquer pourquoi nous étions ainsi laissés à nous-mêmes; surtout que, dans notre classe, nous avions un examen ce matin-là et que, personnellement, j'avais beaucoup étudié pour arriver à le passer. Les profs ont finalement regagné leurs salles de cours. Ils étaient tous blêmes. C'était évident qu'ils avaient quelque chose à nous annoncer et qu'on ne leur avait pas enseigné, à l'université, comment réagir à des situations semblables. On leur avait appris à évacuer un immeuble en flammes avec trente étudiants nerveux, mais pas comment on devait s'y prendre pour leur expliquer une attaque terroriste. « Il s'est passé quelque chose de grave ce matin », avait commencé par dire notre professeur de français de l'époque. Des jeunes demandaient naïvement si nous aurions notre examen quand même, mais l'enseignante, trop secouée, avait oublié les copies sur son bureau alors elle l'a annulé, tout simplement. Comme l'abolition d'un examen était une chose assez rare, nous étions d'autant plus anxieux de savoir ce qui avait pu arriver d'assez grave pour qu'on mette ainsi notre éducation au rancart.

Tout le monde écoutait maintenant Marie-Josée. Son ton était intense. Elle paraissait se souvenir de cette journée dans les moindres détails. Elle jette un regard à l'extérieur et continue :

— Elle nous regardait dans les yeux, tour à tour, cherchant la manière la plus appropriée d'annoncer un drame. « Les tours du World Trade Center à New York ont été frappées par des avions ce matin. On parle déjà d'une attaque terroriste. » Nous avions quinze, seize, dix-sept ans, nous ne comprenions pas l'impact d'une telle nouvelle sur nos vies. Nous pensions encore à notre examen annulé. Le seul paramètre qui nous permettait de comprendre qu'il s'agissait de quelque chose de grave était la crainte qui voilait le sourire de notre prof de français. New York, c'était tellement loin de Québec, ce n'était même pas le même pays. Pour nous, ce n'était pas la fin du monde, mais, visiblement, ce l'était pour celle qui se tenait debout devant nous. Elle nous a demandé de l'excuser et elle est retournée dans la salle des profs pour s'informer des derniers développements. Évidemment, laisser une trentaine d'adolescents dans une pièce après leur avoir lancé une bombe pareille, c'était inconcevable, mais l'importance de l'événement a fini par excuser son manque de jugement. Sur l'heure du dîner, tout le monde courait dans tous les sens. On faisait la file devant le téléphone public avec nos vingt-cinq cents pour appeler nos parents (parce que nous n'avions pas de cellulaires, nous, à l'époque). On voulait qu'ils nous disent que tout irait bien. Mais ils ne savaient pas comment, eux non plus. Le reste de la journée a été plutôt chaotique. Les professeurs se sont présentés à leurs cours, mais ils étaient tous trop bouleversés pour enseigner. Ils nous expliquaient dans leurs mots et du mieux qu'ils le pouvaient ce qui était en train de se passer.

Nous ne sommes toujours pas arrivés à destination, coincés dans un bouchon de circulation, alors Marie-Josée termine son récit, qui paraît beaucoup plaire aux étudiants, silencieux et attentifs.

— Personnellement, c'est lorsque les mots « Troisième Guerre mondiale » sont sortis de la bouche de quelqu'un — je ne me souviens plus s'il s'agissait d'un élève, d'un professeur ou d'un journaliste à la télé — que j'ai commencé à m'inquiéter sérieusement. C'est à ce moment que j'ai compris la panique dans les yeux de ma prof de français. J'imaginais le monde en guerre. Un monde que je croyais sécuritaire qui subitement se transformait, devenait fragile. Mes parents se sont faits très rassurants par contre. Ils m'ont dit que les États-Unis n'étaient pas assez stupides pour déclarer la guerre aux islamistes. Ils avaient surestimé Bush et son gouvernement, évidemment, mais leur nonchalance — qui n'était peut-être qu'une façade — m'a calmée. Je me rappelle par contre avoir écrit dans mon journal intime ce soir-là en me disant que la date du 11 septembre 2001, que j'inscrivais en en-tête, serait sûrement historique. Il s'agit probablement du seul texte intéressant que renferme mon journal, dans lequel j'avais l'habitude de parler de mes *kicks* et de mes aspirations trop grandes.

— Qu'est-ce que vous aviez écrit ? s'enquiert un garçon, semblant particulièrement intéressé, et lui-même surpris de l'être autant.

— Jamais avant ce jour-là je n'avais vraiment compris à quel point tout peut changer en une fraction de seconde, même la paix. J'étais consciente que c'était un peu extrême de m'imaginer déjà avec un fusil dans les mains dans une guerre contre l'Afghanistan, mais on m'avait laissé entrevoir pendant quelques secondes les possibilités d'un conflit mondial et j'avais vraiment peur. Je ne voulais pas que les jeunes des autres générations apprennent dans leur cours d'histoire comment la Troisième Guerre mondiale avait débuté, combien il y avait eu de victimes, quelles étaient les conditions de vie à l'époque et qui en avaient été les gagnants et les perdants. Je ne voulais pas faire partie de cette portion-là de l'histoire.

Elle a à peine terminé que l'autobus s'arrête et que le chauffeur nous indique que nous sommes arrivés à destination.

Il n'y a plus beaucoup de traces d'une attaque, aujourd'hui, à Ground Zero. Mais il y a visiblement encore de la peur, puisque, pour avoir la chance d'entrer dans le parc construit en l'honneur des victimes du 11 septembre 2001 (il était évident qu'on construirait une attraction pour souligner la bravoure du peuple américain, celui-ci a ça dans le sang), nous devons traverser un tas d'étapes pour assurer la sécurité... de deux trous d'eau. Nous passons donc des détecteurs de métal pendant que des gardiens, à l'air presque aussi effrayant que celui des douaniers, étudient notre niveau de dangerosité. Comme nous sommes des étudiants de quatrième secondaire un peu cons, ils ne nous accordent que peu d'importance. Ils nous observent pendant quelques secondes d'un regard accusateur et nous laissent poursuivre notre chemin. Dès que nous avons franchi une étape, nous devons faire la file pour nous approcher de la suivante. C'est presque une heure que nous perdons à attendre qu'on nous juge aptes à nous recueillir devant les deux immenses fontaines.

Une fois entrés, nous devons avouer que le lieu est assez enchanteur. Mais tout le protocole préalable nous empêche de l'apprécier à sa juste valeur. Nous sommes irrités et impatients lorsqu'on nous donne le droit de vagabonder dans le parc commémoratif.

Les deux fontaines ont été construites à l'endroit même où les tours se tenaient. Je ne crois pas qu'on puisse, en fait, parler ici de fontaines, ce sont davantage de grandes piscines stylisées et profondes, creusées dans les fondations des anciens édifices les plus hauts de New York. Le nom de chacune des victimes est inscrit sur les bords de ces structures.

Mes trois amies et moi nous arrêtons au pourtour d'un des bassins en tentant de nous imaginer ces tours de cent dix étages qui surpassaient toutes les autres.

— Je ne sais pas comment je réagirais si quelque chose comme ça se passait aujourd'hui, remarque Emilia à voix haute en regardant vers le ciel.

— Je pense que, comme Marie-Josée, on aurait peur, mais on n'en comprendrait pas vraiment l'impact, dis-je.

Les trois me lorgnent, sceptiques, comme si elles étaient persuadées qu'elles comprendraient bien plus l'impact d'une telle nouvelle que Marie-Josée à l'époque.

— Vous êtes calées en politique internationale, vous autres ? poursuis-je pour leur faire comprendre leur très grande innocence. Si quelque chose comme ça se produit, on va être complètement impuissantes, sans défense, et peut-être même démesurément alarmistes.

Je pense évidemment à Emilia lorsque je parle d'« alarmistes », parce que je suis persuadée que, si elle avait été en âge de comprendre le 11 septembre 2001, elle aurait voulu construire un bunker, y mettre tous ses objets de valeur et s'y cacher en attendant qu'il n'y ait plus de rumeurs de guerre. Je me dis aussi que c'est une bonne chose que Facebook et les réseaux sociaux n'aient pas encore été inventés à cette époque, puisque tellement d'informations fautives auraient pu émerger du Web qu'une guerre se serait peut-être déclenchée d'elle-même, nourrie par trop d'inepties et de suppositions provenant de pays adverses.

On sillonne le parc, décoré de quelques arbres encore chétifs, en silence. Je ne sais pas si c'est l'évocation de la tragédie du 11 septembre qui nous bouleverse ou si nous sommes tout simplement démunies lorsqu'on nous enlève notre téléphone portable, la source de notre pouvoir, mais il nous arrive rarement d'être si paisibles (je parle au « nous », mais vous comprendrez bien sûr que je veux dire « elles »). C'est un moment de sérénité que j'apprécie particulièrement. Malheureusement, comme toute bonne chose a une fin, Sandrine brise l'harmonie en nous rappelant notre bêtise d'hier :

— Je n'en reviens pas encore que nous ne nous soyons pas fait prendre.

Les deux autres se mettent à sourire, visiblement satisfaites de leur entrée furtive.

— Est-ce que je suis la seule qui se souvient que Maxime nous attendait dans le hall ? enchaîné-je pour leur rappeler des bribes de la soirée qu'elles semblent avoir oubliées.

— Oui, mais il ne parlera pas, poursuit Emilia.

— Et qu'est-ce qui te fait croire ça ? ajouté-je avec un aplomb involontaire.

— Il sait que tu ne l'aimes pas beaucoup et, pour une raison qui me dépasse, il aimerait bien que tu l'apprécies, alors il ne fera rien pour nuire à votre relation, déduit ma meilleure amie.

La Latina a une perception de la situation bien différente de la mienne. J'ai plutôt l'impression qu'il utilisera cette information comme une arme contre moi et que, dès qu'il en aura la chance, il lancera la bombe pour que les éclaboussures nuisent le plus possible à ma réputation. Innocemment, je révèle le fond de ma pensée à mes amies, qui paniquent presque instantanément.

— Dans ce cas-là, il faut que tu lui parles, Maude. Je ne veux pas que ma mère sache ça ! s'exclame Sandrine, désemparée.

— Oh que non ! Vous êtes arrivées à me convaincre que je devais vous accompagner hier soir, mais il n'est pas question que je fasse les yeux doux à mon beau-frère. Je refuse catégoriquement de fléchir devant Maxime Demers. Jamais. Jamais je ne m'agenouillerai devant lui. Jamais au grand jamais.

Dix minutes plus tard, je me dirige vers Maxime pour le soudoyer.

Chapitre 6

L'envie

Elles m'ont demandé d'utiliser la pitié, la compassion, de lui promettre des heures de gardiennage ou de travaux domestiques en échange de son silence, mais je ne ferai rien de tout cela. D'accord, elles sont peut-être arrivées à me convaincre d'utiliser mes contacts pour leur épargner des pénitences inhumaines de la part de parents consternés, mais elles ne pourront jamais m'amener à supplier mon beau-frère. Il me reste tout de même une once de fierté, que je tiens à conserver. J'ai plutôt choisi de jouer la carte de l'émotion et de l'honnêteté (celle qui va le toucher, je n'irai quand même pas jusqu'à lui révéler le dédain que j'ai pour lui).

Maxime discute avec un élève lorsque je m'approche de lui et lui fais signe de venir me voir. Il affiche déjà un sourire triomphant qui me donne des nausées et des soubresauts de colère. J'ai bien envie de lui dire que ça m'est complètement égal s'il révèle notre escapade nocturne à qui que ce soit, mais je sens le regard de mes amies dans mon dos, qui m'observent depuis un banc tout près, et révise mes priorités.

— Max, tu ne me connais pas beaucoup, mais je peux te dire que je suis une amie fidèle, dis-je d'abord pour sous-entendre la raison de ma présence devant lui aujourd'hui.

— Je m'en aperçois de plus en plus, me répond-il sans abandonner son sourire narquois qui me répugne.

— Elles veulent savoir tes intentions. Est-ce que tu vas nous dénoncer ou pas ?

— Toi, Maude, qu'est-ce que tu crois que je devrais faire ? me demande-t-il, sachant très bien que mon affection pour Emilia, Sandrine et Ellie aveugle mon jugement.

Je le fixe pendant quelques secondes, contrariée par le jeu auquel il s'adonne avec tant de joie.

— Ne parle pas, finis-je par dire.

— Si vous continuez à bien vous tenir, je devrais ne rien dire, mais avertis tes copines que, ce soir, je vous aurai à l'œil.

Je fais un signe de la tête et retourne faire mon rapport.

— Il vous fait dire que, ce soir, il nous aura à l'œil, mais que, si on se comporte bien, il ne dira rien, annoncé-je machinalement.

Les trois rebelles poussent un soupir de soulagement et me remercient de mon geste héroïque.

Marie-Josée annonce alors que notre visite est déjà terminée et qu'il est temps de retrouver le confort de notre autobus. Pour dîner, le chauffeur nous dépose dans un restaurant, près de la 5e, pour que nous puissions poursuivre vers notre troisième activité: le magasinage.

Le restaurant de tacos dans lequel on nous amène n'est pas tout à fait un exemple de grande gastronomie, mais, comme hier nous avons eu droit au pire de la cuisine américaine, nous sommes assez satisfaites de nos repas caloriques, salés, pleins de gluten et de gras trans. Les filles dévorent leur repas mexicain à toute vitesse pour avoir la chance de magasiner le plus longtemps possible sur l'une des rues préférées des acheteurs compulsifs. Mais Marie-Josée nous retient, voulant faire son discours officiel avant de laisser ses oisillons quitter le nid.

— Bon, tout le monde, est-ce que je pourrais avoir votre attention? hurle alors la professeure dans le restaurant, comptant tout de même des clients « ordinaires », qui trouvent probablement étrange qu'une femme se mette à s'époumoner dans une langue inconnue pour donner des directives éparses.

— Vous avez tout l'après-midi pour magasiner en paix ou flâner à Central Park, qui se trouve juste au bout de la rue, annonce-t-elle en montrant la 5e Avenue. Beaucoup de gens me l'ont demandé, mais non, je ne vous remets pas votre cellulaire avant le souper. Ne vous inquiétez pas, vos chances de survie sont très bonnes et, comme je ne connais aucun cellulaire qui se transforme en Taser, n'essayez pas de m'amadouer en me disant que, si vous vous faites attaquer, vous m'en tiendrez responsable — comme plusieurs d'entre vous ont essayé de le faire aujourd'hui. Soyez raisonnables et responsables comme je suis convaincue que vous pouvez l'être. On se retrouve ici à dix-sept heures, pas une minute plus tard. Soyez à l'heure. Bon après-midi à tous !

Lorsqu'elle a prononcé ses dernières paroles, Ellie, Sandrine et Emilia se jettent littéralement dans la porte et courent vers la 5e Avenue. Je suis encore debout, pantoise, quand je m'aperçois qu'elles ont quitté l'établissement sans m'attendre. Je pousse donc un soupir, me disant que l'après-midi sera long et pénible, quand nonchalamment je tente de retrouver mes copines hystériques. Sandrine et Emilia sont déjà entrées dans la première boutique quand j'aperçois Ellie à l'entrée, qui m'attend patiemment.

— Merci de m'avoir attendue, dis-je en la rejoignant.

— De toute façon, je n'ai pas d'argent pour magasiner, riposte-t-elle, visiblement déçue de ne pas pouvoir jouer à dépenser les sous des autres comme ses amies.

— Moi non plus. Mais certains disent que faire du lèche-vitrine, c'est encore plus amusant, poursuis-je en lui rappelant le discours qu'a prononcé sa copine plus tôt.

Évidemment, je n'y crois pas une seconde, mais je fais semblant d'aimer faire les boutiques pour encourager Ellie et l'amener à retrouver ce sourire candide qui lui va si bien. Bras dessus, bras dessous, nous retrouvons donc nos comparses, qui ont déjà une montagne de vêtements à essayer sur les bras. Ellie et moi sommes les juges du bon goût et les stylistes attitrées de ces dames. La Latina ne se prive de rien, satisfaite de contrarier ses parents en remplissant leurs cartes de crédit. Elle a l'impression d'ainsi se venger du mal qu'ils lui affligent en divorçant. L'héritière n'a pas encore compris que Rodrigo et Évelyne souffrent bien plus qu'elle encore. Sandrine a beaucoup moins de budget que la princesse latine, mais peut tout de même s'offrir quelques morceaux qui font mourir de jalousie la pauvre (attention, il ne s'agit pas d'un mauvais jeu de mots) Ellie.

Nous visitons dix ou quinze boutiques, toutes aussi luxueuses les unes que les autres. L'une d'entre elles me fait d'ailleurs penser à la discothèque que nous avons fréquentée la veille. La musique est assourdissante et des rétroprojecteurs diffusent des images sur les murs intérieurs du commerce. Il y a même des stroboscopes qui nous éblouissent pendant que nous magasinons (choix discutable, si vous voulez mon humble avis). La boutique est tellement immense que bientôt nous nous perdons de vue. Pendant qu'Emilia est occupée à dilapider la fortune familiale et Sandrine, à s'imaginer faire de même, je déambule dans la pièce, zieutant des vêtements que je n'aurai probablement jamais la chance de me payer, à la recherche d'Ellie. Je l'aperçois alors au loin et m'en approche nonchalamment. Je remarque qu'elle a un comportement bizarre : elle étudie les environs comme si elle avait peur qu'on la remarque. Et, soudainement, en un geste calculé, elle ouvre sa sacoche et y glisse un chandail. *Mon amie est une voleuse*, me dis-je, à la fois troublée et outrée par son geste. Je ne sais pas comment réagir. Je suis très en colère. Comme si c'était moi qu'elle volait, comme si ses actions avaient un quelconque rapport avec la qualité de notre amitié. Je me doute bien de la raison pour laquelle elle a posé un tel geste, mais je n'en suis pas moins atterrée. Plutôt que de crier et de m'emporter comme j'ai envie de le faire, je l'attrape par le bras (d'une poigne probablement plus violente que prévu) et l'attire dans une cabine d'essayage.

— Outch, fait-elle, me dévisageant avec perplexité.

Je ne sais par quoi commencer pour exprimer toute la hargne et l'incompréhension qui m'habitent.

— Tu pensais t'en sortir comme ça, sans problème. Mais à quoi tu penses, lancé-je, déçue par le comportement de mon alliée.

Ellie comprend rapidement qu'il est ici question de son vol prémédité. Elle me fixe un moment, ne sachant trop quoi riposter pour plaider sa cause. Elle s'assoit sur le banc et prépare mentalement sa défense.

— Tu ne peux pas comprendre, ose-t-elle alors me lancer. Mes parents ne sont pas riches comme les vôtres.

— D'abord, ma mère est loin d'être riche, mais, de toute façon, tu crois que c'est ce qui te donne le droit de voler ?

Je ne sais pas trop pourquoi je suis si blessée par ses actes frauduleux qui ne me concernent pas, mais je le suis. Ellie se met à pleurer et continue de se justifier au travers de ses larmes.

— Tu ne sais pas ce que c'est, Maude, que de rêver d'avoir la vie d'une autre. Je veux être comme Emilia. J'envie la richesse de sa famille, son teint basané, son style vestimentaire, sa confiance, tout.

Évidemment, ces révélations troublantes n'amoindrissent en aucun cas l'imbécillité de son geste, mais elles l'expliquent un peu, suffisamment pour que la compassion me gagne et que mon animosité diminue. Je m'assois près d'elle et passe mon bras autour de son épaule.

— Je t'assure que la vie d'Emilia n'est pas aussi belle que tu le crois. Il ne faut pas que tu t'abaisses à l'envie. Tu es magnifique comme tu es, extérieurement et intérieurement.

J'avoue me dégoûter considérablement moi-même en déblatérant toutes ces idioties. J'ai l'impression de reprendre les dialogues d'une vieille comédie pour adolescentes des années 1980. Mais je continue, parce que je sais pertinemment que c'est exactement ce que mon amie a besoin d'entendre : des poncifs qui apaisent les âmes brisées et les pansent momentanément.

— Ce n'est pas en volant que tu deviendras une meilleure personne, quelqu'un que tu aimeras davantage en te regardant dans le miroir. Tu es, selon moi, la plus sensée d'entre nous quatre. Celle qui est vouée à l'avenir le plus glorieux.

Ce n'est pas faux. C'est vraiment ce que j'ai toujours cru. Ellie est naïve, fragile, mais très intelligente. Je croyais qu'elle l'était plus que moi. C'est d'ailleurs probablement pour ça que je suis déçue de voir qu'elle peut s'abaisser à un geste aussi lâche que le vol. Comme hier je suis entrée dans un bar alors que j'ai cinq ans de moins que l'âge légal, je ne suis peut-être pas bien placée pour parler de ce qui est juste, mais, à mes yeux, le vol est un acte presque impardonnable. Peut-être est-ce parce qu'il figure parmi les dix commandements et que Moïse n'a jamais proclamé sur le mont Sinaï : « Tu n'entreras point dans un bar avant l'âge prescrit par la loi. » Mais non, il ne s'agit ici que d'une piètre tentative d'explication de la part de mon esprit sélectif, puisque je suis athée et très peu atteinte de manière générale par les recommandations d'un prophète du judaïsme qui a reçu l'appel de Dieu à travers un buisson (ce n'est même pas une mauvaise blague, c'est un « vrai » fait).

— Tu es tellement gentille, Maude. Je suis vraiment heureuse que nous soyons devenues des amies, marmonne Ellie.

J'avoue que je suis aussi très contente que Sandrine et Ellie fassent maintenant partie aussi intégrante de ma vie. Elles m'apportent beaucoup, et ce, même si elles encouragent Emilia à poser des gestes punissables qui m'exaspèrent. Je ne sais pas trop ce que je serais sans ces trois filles-là, sans leur innocence et leur légèreté qui m'alimentent autant qu'elles m'irritent. Jamais je n'aurais quitté ma chambre d'hôtel pour une virée dans un bar aux États-Unis à seize ans si ce n'avait été d'elles — je ne sais même pas si je me serais inscrite au voyage scolaire de cette année. Sans elles, mon adolescence serait pénible.

Disons... plus pénible. Elles m'aident à me forger des souvenirs de jeunesse, une chose que je n'ai jamais tenu à avoir, mais que je suis assez fière aujourd'hui de posséder en quantité (je ne l'avouerai jamais à voix haute en public, par contre, gardez l'information pour vous).

— Merci de veiller sur moi, me dit-elle en me regardant de ses yeux rouges et piteux.

— Il paraît que les amis, c'est fait pour ça.

On revient brièvement à des répliques de films quétaines des années 1980, avant la cinglante finale:

— Maintenant, sors d'ici et va remettre le t-shirt à sa place avant que les sanglots et les quatre jambes sous la porte n'éveillent les soupçons d'un vendeur aux aguets.

Elle me prend dans ses bras et me remercie encore une fois avant de se faufiler hors de la cabine en un mouvement gracieux.

J'y reste quelques instants avant de m'en extirper à mon tour. Je regarde mon reflet dans la glace. J'observe mes cheveux en bataille, mes espadrilles tachées de boue, mes jeans légèrement déchirés, et je suis alors étonnée qu'on m'ait permis d'entrer dans ces boutiques de luxe où il est évident que je n'achèterai rien. Je me dis que peut-être que depuis *Pretty Woman* les commerçants craignent qu'une gueuse prostituée cache, dans les poches de ses haillons, la carte de crédit de l'un de ses riches clients. Je sais bien que c'est plutôt le raffinement d'Emilia et l'or sur sa carte Visa qui m'ont évité l'expulsion, mais j'aime bien me comparer à Julia Roberts une fois de temps en temps, ça me fait sourire. Après m'être ainsi prise pour l'une des stars les mieux payées de Hollywood, je retrouve Emilia, Sandrine et Ellie qui étudient attentivement les ceintures et les sacs à main. Je suis assez étonnée que ma meilleure amie ne m'ait toujours pas demandé de porter ses sacs. Elle a déjà plusieurs paquets sous le bras et a du mal à gérer tout son attirail.

— *Amo Nueva York*, fait-elle en essayant une paire de lunettes de soleil Ray-Ban.

Comme il y a bien des vêtements que les fillettes (même Emilia) ne peuvent pas s'acheter, elles décident de prendre des photos d'elles alors qu'elles portent ces morceaux coûteux devant les miroirs de la cabine d'essayage. Elles prennent des poses de mannequins et rigolent de se voir ainsi attriquées. Au départ, je décide de ne pas participer à ces fanfaronnades, mais elles ont tôt fait de me convaincre que de jouer les modèles est plus amusant que de ruminer sur le banc en attendant qu'elles aient terminé leurs mondanités. J'avoue même y éprouver un certain plaisir, pas autant que leurs rires de timbrées semblent le démontrer, mais suffisamment pour participer sans (trop) ronchonner. Elles essaient toutes de me convaincre que je suis bien plus belle dans des vêtements « propres » et moins déglingués que les miens, et moi, je tente de leur faire comprendre que ces fringues griffées me rendent mal à l'aise.

Évidemment, les vendeuses ne sont pas particulièrement enchantées de nous voir badiner ainsi avec leurs marchandises, mais elles nous laissent jouer, en nous gardant toujours en joue. Peut-être qu'elles ont compris que nous ne parlons pas leur langue et que donc la communication serait plus ardue et les réprimandes, moins efficaces.

Quand nous avons fini de jouer les Barbie dans les grands magasins, il est déjà l'heure de retrouver notre groupe pour la suite de notre expédition new-yorkaise. La plupart des élèves sont déjà entassés sur le coin de la rue quand nous les rejoignons. Maxime pose même un regard sévère sur nous, nous reprochant probablement notre manque de ponctualité. Quand le groupe est complet, nous emboîtons le pas à Marie-Josée, qui nous conduit jusqu'à un Olive Garden, une chaîne de restaurants italiens semblable à notre Pacini, mais sans le comptoir à pain (probablement ma plus grande déception, d'ailleurs ; j'accepte de manger du spaghetti bolognaise à vingt et un dollars si je peux graisser de beurre à l'ail une tranche de pain que je dépose ensuite sur une plaque métallique souillée de corps gras, sinon le jeu n'en vaut pas la chandelle).

Nous nous assoyons à la table qu'on nous a assignée, commandons un plat de pâtes trop liquide et nous mettons à regarder la panoplie de photos que nous avons prises aujourd'hui avec l'appareil numérique de Sandrine. Je me demande alors comment les gens faisaient pour attendre des semaines avant que la pellicule de leur caméra soit développée. Il y a à peine quelques minutes que nous avons cessé de nous mitrailler et nous sommes déjà impatientes de voir les résultats sur le petit écran numérique d'à peine sept centimètres de large. Nous sommes toutes réunies au-dessus de l'épaule de Sandrine qui fait défiler chacun des clichés, pendant que les modèles matraquent la projectionniste de commentaires : « J'ai un double menton », « Mon nez est trop pointu sur celle-là », « J'ai l'air d'un éléphant dans cette robe-là, vous auriez dû me le dire », « J'ai les yeux fermés ». Finalement, il va nous falloir un expert en Photoshop pour retravailler les images ou un peu plus d'indulgence de la part des mannequins, sinon notre album de voyage ne comptera pas beaucoup de pages. Il y a une, peut-être deux, photographies qui plaisent à tout le monde. Au contraire de ce qu'elles peuvent en penser, Ellie, Sandrine et Emilia font de très belles photos. La brillance dans leurs regards transmet leur fraîcheur adolescente, et elles arrivent toujours à prendre une pose décontractée qui nous laisse croire qu'elles vivent des moments magiques. C'est plutôt lorsque j'apparais dans le cadre que les choses tournent au vinaigre. Je ne suis pas très photogénique. Malgré ce qu'on pourrait croire, il ne suffit pas d'être beau pour être photogénique. Il y a de très belles personnes qui n'arrivent jamais à figurer sur un cliché sans avoir la bouche ouverte, un œil fermé ou une mèche de cheveux collée dans le visage. C'est aussi une question de proportion et de réflexion de la lumière. Il y a des gens vraiment magnifiques en personne, mais dont la beauté n'est jamais complètement transmissible à travers une image. Peut-être aussi n'est-ce qu'une grande théorie pour faire croire aux laids qu'une photographie ne leur rend pas justice...

Je ne suis pas convaincue de la photo qu'elles ont désignée comme étant la meilleure, mais trouver une seule image satisfaisante a été si ardu que j'ai préféré me taire et montrer l'exemple. Dans le pire des cas, j'aurai l'air de l'amie bizarre et mal attriquée — un titre qui me sied plutôt bien, avouons-le — quand elles placarderont le portrait dans leur case à l'école.

Sandrine recule encore davantage dans l'historique de sa caméra, jusqu'à ce que l'écran nous présente des images de la nuit dernière. Quelques-unes sont trop sombres pour qu'on puisse y distinguer quoi que ce soit, mais bientôt je me vois apparaître à côté d'un cowboy en sous-vêtements. J'essaie d'attraper l'appareil pour supprimer à jamais cette photo humiliante, mais mes trois copines m'en empêchent d'une main de fer. Je sens qu'elles tiennent fermement à ce que ce portrait peu flatteur survive au voyage. Elles rigolent en s'apercevant que cette photographie me dérange vraiment, que j'ai véritablement peur que d'autres personnes tombent un jour dessus et l'utilisent contre moi. Je la somme de ranger son appareil immédiatement avant que quelqu'un voie cette preuve compromettante.

Même si elle m'agace particulièrement, il s'agit ici d'une image plutôt sans conséquence. Je me mets à penser aux adolescentes qui vivent bien pire quand une photo peu flatteuse d'elles se retrouve sur les réseaux sociaux et sabotent leur réputation. Les jeunes femmes sont un peu sottes (ce n'est pas leur faute, c'est l'âge) et, naïvement, elles croient qu'une petite image ne peut pas être responsable de leur déchéance. Elles vont même jusqu'à se photographier nues pour leur petit ami, pensant que ce dernier ne les dévoilera pas sur Internet quand leur relation se sera terminée dans des circonstances affligeantes. C'est pervers, la technologie, presque autant que des adolescents en pleine puberté qui veulent se venger de leur ex-copine qui a fait de l'œil à leur meilleur ami dans leur dos.

Chapitre 7

Rencontre au sommet

Après notre souper gastronomique, nous nous dirigeons vers l'Empire State Building pour en faire l'ascension. Ce n'est pas le temps d'attente sans appareil électronique qui me dérange le plus, ni même les trois cent quatre-vingt-un mètres de hauteur, mais bien les centaines d'étages que je devrai monter dans un ascenseur avec une trentaine d'autres personnes, incontrôlables parce qu'excitées de voir les lumières de la ville depuis le piédestal que représente l'un des édifices les plus hauts de New York. S'il y en a un seul qui se risque à faire le con et à sauter dans les airs pour faire balancer la cage de métal, je le jette en bas de l'immeuble une fois rendue en haut. J'ai essayé par tous les moyens de convaincre notre professeure accompagnatrice que j'avais une peur bleue des ascenseurs et que de m'obliger à en emprunter un serait une forme de tyrannie. Je l'ai même menacée de me ranger du côté noir de la Force, celui des militants pro-retour des téléphones intelligents, et d'intenter des poursuites contre elle à l'Association des enseignants, mais elle n'a pas été bien ébranlée. Surtout que Maxime, fier de me retirer toute crédibilité, rit en m'écoutant défendre ma position. Il se tient juste à côté de Marie-Josée et il lui dit de ne pas me prendre au sérieux, que je ne suis pas claustrophobe et que je n'ai pas le vertige, que la seule chose dont je souffre, c'est d'un excès de confiance. Comme il détient un secret que je ne voudrais pas voir s'ébruiter, je me retiens de riposter d'un commentaire désobligeant à son égard.

Je cherche des yeux les escaliers, que je considère emprunter, même si Marie-Josée m'a interdit de le faire. Mon cœur battrait autant la chamade à mon arrivée au sommet, mais ce serait en raison de mon très mauvais cardio et non pas à cause de la peur qui me ronge jusque dans chacune de mes vertèbres. J'ai les mains moites dans la file d'attente. Mes trois amies essaient de m'encourager en me disant que les risques que les fils cassent et que la cage tombe, nous entraînant dans une mort certaine, sont très minimes. Évidemment, l'image de l'ascenseur qui se décroche et s'élance dans le vide, comme dans les premières minutes de *Speed* avec Keanu Reeves, m'obsède maintenant. Mes copines n'ont pas de talents particuliers pour rassurer les phobiques.

Après un moment, le manque de divertissement se fait ressentir et les étudiants, habitués à être toujours stimulés par leurs appareils électroniques, protestent et s'informent continuellement — et pas toujours poliment — sur le temps d'attente estimé. Marie-Josée, à qui on a appris à rester calme et en contrôle dans ce genre de situation, répond aux impatients que l'attente en vaudra la peine et qu'elle ne peut rien faire de plus pour les contenter. Par contre, ces bonnes intentions ne tiennent pas la route bien longtemps et, après s'être fait importuner par chacun des opprimés, elle finit par céder.

Elle sort le sac réutilisable dans lequel elle a précédemment déposé les cellulaires des élèves et les leur présente comme une récompense qu'on brandit devant un chien pour qu'il donne la patte.

— Je vous ai suffisamment fait souffrir, j'en conviens, mais je tenais à ce que vous voyiez New York avec vos yeux et non pas à travers le compte Facebook de votre voisin.

Les étudiants font semblant de comprendre la morale de la professeure, de peur qu'elle ne change d'idée et ne remette les téléphones dans son sac à dos.

Personnellement, j'ai apprécié son geste. Ce ne sont pas tous les enseignants qui auraient eu le cran de faire ce qu'elle a fait. La plupart du temps, les professeurs ont peur de miner leur réputation auprès des jeunes en posant des gestes aussi drastiques que leur confisquer la source de leur spiritualité. Marie-Josée ne semble pas le genre de personne qui craint d'être haïe. Elle m'apparaît comme quelqu'un de juste et de passionné. Je dois avouer que plus je la côtoie, plus je l'apprécie.

La bonne humeur paraît de nouveau envahir la foule quand tous ont retrouvé leur ami le plus précieux. Certains ont douze appels manqués de leurs parents, qu'ils sont fiers d'aller présenter à Marie-Josée pour qu'elle culpabilise d'avoir inquiété une mère sans nouvelles, alors que d'autres se précipitent sur les réseaux sociaux pour expliquer éloquemment de quelle imposture ils ont été victimes. On retrouve des « Me su faite enlever mon tel pour 10 h. *Fuck the world !* » partout sur les murs Facebook des élèves de mon école. Des gens qui ne gagneront pas un des Prix littéraires du Gouverneur général, ça, je vous l'assure…

Sandrine, Ellie et Emilia ont à peine le temps d'envoyer quelques textos et de commenter leur journée sur leur blogue qu'on nous indique déjà que c'est maintenant à notre tour d'entrer dans l'ascenseur. Je pousse quelques gémissements avant de finalement franchir le seuil du monte-charge, qui peut aisément accueillir une quarantaine de touristes. Un homme vêtu d'un uniforme de valet nous demande de nous compacter pour faire entrer le plus de personnes possible. J'ai des nausées tellement l'expérience me répugne. Le laquais appuie sur le dernier bouton de l'ascenseur et les portes se referment.

La sensation est encore pire que celle que je redoutais au départ. L'ascenseur va si vite que je crois être en apesanteur pendant une demi-seconde. Les chiffres défilent à une vitesse hallucinante sur le tableau indicateur et j'ai l'impression que je suis sur le point de perdre connaissance quand je sens la main d'Emilia qui s'agrippe à la mienne. Elle essaie probablement de me démontrer son soutien. Ma respiration s'accélère et j'entends au loin la voix de Maxime qui me demande si je vais bien. Si je contrôlais encore ma bouche, je l'enverrais promener, mais je suis complètement désarçonnée par cette peur que je sais rationnellement injustifiée. Tous les regards des occupants se posent sur moi. Tout le monde s'imagine probablement que je ne résisterai pas à la pression et que je vais m'effondrer d'un moment à l'autre sur le sol (certains semblent même en train de me filmer pour garnir leur chaîne YouTube), mais je suis bien décidée à rester consciente. Pas question de me laisser avoir ainsi par ma peur. J'essaie de me rassurer moi-même en me disant que je serai bientôt sortie et que cette crise de panique sera une autre anecdote amusante pour enquiquiner mes petits-enfants: la fois où j'ai failli m'évanouir dans l'ascenseur de l'Empire State Building (le lendemain de la fois où je suis entrée dans un bar par la porte arrière avec un DJ qui s'appelait Sunny Delight). J'ai l'impression que ces quelques secondes de montée durent des heures. Jamais plus je ne remettrai les pieds dans un ascenseur de ma vie. Ce sont les dernières paroles que je me répète avant de me propulser en dehors de la cage dès que les portes s'entrouvrent.

Max, Marie-Josée et mes trois amies se jettent sur moi pour s'assurer que je vais survivre à cette frousse. Je les repousse de la main. J'ai besoin d'air pour décompresser un peu. Marie-Josée demande aux étudiants curieux, qui m'observent avec perplexité, de circuler. Je m'assois par terre et, le dos appuyé contre le mur, je reprends progressivement le contrôle de mon esprit.

— Je m'excuse, Maude, je ne croyais pas que tu avais peur des ascenseurs à ce point, déclare la professeure, repentante.

Je n'ai pas encore la force de lui rappeler le solide argumentaire que je lui ai précédemment déballé pour l'empêcher de me forcer à entrer dans la boîte, mais je conserve mes allégations pour plus tard.

Mon beau-frère semble aussi assez mal à l'aise d'avoir insisté pour que j'obtempère. Je dois assurément être très pâle pour attirer la sympathie de Narcisse.

— Il était quelque chose, cet ascenseur-là, même moi je *feelais* pas bien, déclare Sandrine, probablement pour m'encourager.

Marie-Josée suggère à mes amies et à Maxime d'aller rejoindre les autres dehors et d'apprécier la vue pendant qu'elle prendra soin de moi. Ils coopèrent et laissent la professeure gérer la fillette démunie appuyée contre un mur du cent troisième étage de l'Empire State Building. Elle s'assoit à côté de moi et ne parle pas avant trois ou quatre longues minutes, le temps que ma respiration reprenne un rythme plus normal.

— Moi, c'est les requins, ma phobie. Je ne sais pas trop pourquoi. Je n'ai jamais été victime d'un événement traumatisant impliquant l'un d'eux et je n'ai pas regardé *Jaws* à un âge vulnérable. Je suis juste née avec cette crainte en moi. Je ne me suis jamais baignée dans la mer à cause de ça. Mes amis se moquent beaucoup de moi quand on va dans le Sud...

Je sais très bien ce qu'elle tente de faire; elle essaie de m'amadouer et de me distraire pour que j'oublie la source de ma peur. En temps normal, je lui dirais que je ne suis pas un bon sujet pour les trucs de psychologie 101 et de ne pas me considérer comme un cobaye pour l'application des théories apprises dans ses cours, mais, comme je n'ai pas encore tout à fait retrouvé mes esprits, je l'écoute et me risque à m'intéresser à son sort et même à intervenir, comme elle s'y attend.

— Généralement, j'évite aussi les ascenseurs, et les édifices trop hauts où je ne peux pas grimper les escaliers sans péter une crise de cœur.

— Encore une fois, je suis désolée, Maude.

— C'est pas grave, mais je prends les marches pour redescendre.

— Et je t'accompagne, ce sera ma punition pour avoir choisi d'écouter Maxime plutôt que toi, finit par dire Marie-Josée en se relevant en un bond. Te sens-tu assez en forme pour affronter le vide ? poursuit-elle.

Je lance un regard vers la porte qui mène à l'extérieur et réponds un « oui » plus ou moins assumé.

— Tu vas voir, c'est vraiment grandiose, dit l'enseignante en me tirant par la main pour m'aider à me relever.

Nous traversons la boutique de souvenirs (placée stratégiquement pour que les touristes soient obnubilés par le besoin pressant d'acheter une boule à neige de la ville de New York) pour nous rendre jusque sur la terrasse. À cette altitude et à cette heure tardive, le froid nous tyrannise. Mais, dès que j'aperçois les premières lumières du centre-ville, les frissons font place à des tressaillements d'admiration. Marie-Josée me quitte un instant pour aller rejoindre mon beau-frère, mais je reste plantée là à regarder la métropole scintiller. C'est étrange comme sentiment. Peut-être suis-je encore légèrement secouée par la peur, mais je me sens soudainement très petite. J'ai comme l'impression de me tenir au sommet d'un monde. Pas du monde dans son entier, mais au-dessus de quelque chose de grand. Je laisse mes réflexions philosophiques de côté pour aller rejoindre mes copines, qui se tiennent sur le bout des pieds pour tenter d'apercevoir la rue en bas.

Elles sont visiblement très heureuses de me retrouver. Elles lâchent un « Maaauuuuddddddeeeeee » affectueux en chœur et m'enlacent simultanément.

— Ça va mieux ? me demande alors Emilia en se détachant de notre étreinte collective.

— Oui, oui. J'ai juste paniqué là-dedans. L'air frais me fait du bien, dis-je en inhalant une bouffée d'oxygène.

— Viens, approche ; tu vas voir, c'est magnifique, me lance alors Ellie en me faisant signe de me coller à la rambarde.

Effectivement, le paysage est ahurissant. Pour moi, un panorama comme celui-ci est plus magnifique que n'importe quelle campagne verdoyante du monde. Il y a quelque chose de grisant qui se dégage d'une ville la nuit (le jour aussi, mais ce n'est pas aussi ensorcelant que ça peut l'être lorsque la lune danse). On entend à peine le bruit de la circulation depuis notre perchoir. Je plaque la tête sur le grillage et admire le tableau, comme nostalgique. Je me demande si le décor inspire la même émotion à mes copines, si elles se sentent plus petites elles aussi, ou s'il n'a cet effet que sur moi. Je décide donc de poser la question :

— On est tellement petit dans l'univers ; ça ne vous effraie pas, vous ?

La perplexité qui s'affiche sur leurs visages me fait croire que non, mais elles ne répondent pas. Elles se retournent plutôt vers les lumières et réfléchissent à leurs réponses respectives.

— Peut-être un peu, dit Sandrine, incertaine.

— Il y a tellement de gens qui ont dû vouloir se jeter en bas de cet édifice justement parce qu'ils se trouvaient insignifiants, balance Emilia.

Comme je n'avais pas du tout l'intention que cette conversation déraille et prenne cette direction morbide, je me dis que l'heure n'est peut-être pas à la méditation et qu'il serait préférable que je me rachète grâce à un astucieux changement de sujet.

— Il faudrait prendre des photos de nous quatre ici.

Elles sont d'abord surprises que je sois celle qui propose de prendre des photos, comme j'ai été plutôt récalcitrante à l'idée de me retrouver devant le flash ces dernières heures, mais ne font pas la remarque à voix haute de peur que je change d'idée.

Nous nous installons donc devant la grille qui surplombe le panorama de la ville et demandons à un de nos confrères de nous photographier. J'essaie de faire le sourire le moins idiot possible, de relever la tête pour ne pas avoir un double menton et de placer mes cheveux derrière mes oreilles pour que mon visage soit dégagé (tous des conseils avisés de ma sœur Ariel, qui s'est fait prendre en photo maintes fois et qui s'est elle-même souvent photographiée avec son cellulaire en prenant des poses obscènes — la dernière partie est plutôt inavouée). Mais, malgré mes efforts mesurés, je suis (évidemment !) celle qui a l'air la plus stupide. Mes amies ne remarquent pas mes yeux presque exorbités et mes cheveux qui, pris dans un coup de vent, me dessinent une barbe. Elles sont beaucoup trop occupées à regarder leurs propres défauts. Heureusement, elles ne sont pas satisfaites du résultat et demandent une seconde prise. Le gentil garçon recule à nouveau de quelques pas et nous demande de crier « New York » avant d'appuyer sur le déclencheur et de remettre le iPhone à Emilia. Cette deuxième photo est encore pire que la première, puisque nous avons toutes la bouche entrouverte. Comme notre photographe paraissait déjà embêté par sa tâche, nous n'exigeons pas de lui une autre tentative. Nous nous satisferons de ce portrait peu enviable. S'ensuit un enchaînement de poses loufoques mettant en scène des représentantes de notre quatuor : Emilia et moi, Ellie et Sandrine, Sandrine et Emilia, etc. Nous nous sommes bien amusées à grimper un peu partout et à nous photographier dans des positions peu flatteuses. Nous nous sommes même rendues dans le magasin de souvenirs pour prendre quelques clichés avec des casquettes de la ville, des oursons en peluche avec sur leur ventre des dessins de l'immeuble new-yorkais et des immenses drapeaux qu'on posait sur notre dos comme des capes. J'avoue que j'ai surveillé Ellie attentivement pour que son désir d'emprunter éternellement des articles dans le magasin ne la reprenne pas. Je ne suis pas tout à fait certaine que je suis arrivée à lui faire comprendre l'aberration du vol, tout à l'heure. Elle n'est pas sotte, elle sait que c'est mal, mais je ne suis pas convaincue qu'elle écartera cette option lorsqu'elle voudra obtenir quelque chose qu'elle désire vraiment et qu'il serait si simple de juste prendre.

Après avoir lâché mon fou (mes amies possèdent maintenant beaucoup trop de preuves que je suis en mesure de le lâcher) et avoir rigolé avec mes copines, il est temps de retourner sur le plancher des vaches. Marie-Josée vient alors me rejoindre pour tenir sa parole ; elle redescendra les cent trois étages à pied avec moi. Je laisse donc mes amies devant l'ascenseur et entreprends ma descente avec la prof de français pénitente.

— As-tu aimé la vue ? me demande mon accompagnatrice.

— Oui, vraiment. C'est magnifique, New York le soir.

— Moi, c'est la onzième fois que je viens dans cette ville, et je ne me tanne jamais de la vue.

L'écho dans la cage d'escalier est saisissant. Nous avons l'impression de ne pas être seules en ces lieux inquiétants, même si nous le sommes, complètement. Nous ne parlons pas pendant quelques minutes, jusqu'à ce qu'elle émette un commentaire qui paraissait lui brûler les lèvres.

— Tu n'es pas comme les autres filles de seize ans, Maude.

— Oui, je l'ai entendue souvent, celle-là, rétorqué-je.

— Tu as l'air de considérer ça comme une mauvaise chose, soulève-t-elle.

Je ne sais pas trop si je dois me livrer à elle. Comme je l'ai mentionné plus tôt, les professeurs ne sont pas les personnes que j'admire le plus. Ils n'attirent pas ma confiance d'emblée.

— Il me semble que ce serait tellement plus simple d'être comme les autres. De penser comme elles, et de réagir comme elles, dis-je après quelques secondes, finalement (presque) convaincue par l'intégrité de mon allocutaire.

— Je ne te connais pas beaucoup, ça fait juste deux mois que je t'enseigne, mais tu sembles avoir une grande maturité, et ça, c'est loin d'être mauvais.

— Je dirais plus une grande lucidité. J'ai l'impression de voir des choses que les autres ne voient pas. Je ne comprends pas qu'on puisse vouloir voler, quand on sait que les risques qu'on se fasse prendre sont immenses et que ça a, évidemment, des conséquences sur la vie des autres. Je ne comprends pas qu'on puisse délibérément vouloir désobéir aux règles, même si on sait qu'on n'en retirera rien, si ce n'est un châtiment disproportionné.

Je me sens soudainement un peu trop docile; je décide donc de préciser ma pensée.

— Je ne dis pas que je respecte toutes les règles à la lettre et que je ne sors jamais du cadre qu'a établi la société pour que je reste inoffensive, mais les adolescents agissent par impulsion, par instinct, et ne mesurent jamais le pour et le contre. Et, même si je leur explique tout ça, si j'essaie de les raisonner, ils ne comprennent toujours pas.

— Ton amie Emilia semble plutôt ce genre de personne ; désinvolte et spontanée.

— Oui, effectivement, elle est à l'opposé de moi.

— Tu as le droit de ne pas me répondre et de me dire que ce n'est pas de mes affaires, mais : pourquoi elle est restée ton amie alors, si elle est si différente de toi ?

— Je ne pensais pas que vous étiez si étroite d'esprit, déclamé-je, sur la défensive, légèrement insultée qu'une enseignante que je connais à peine ose mettre en doute mon amitié avec Emilia.

Je poursuis d'un ton assuré et tranchant :

— C'est vrai qu'elle ne me ressemble pas. C'est vrai qu'elle me surprend, et je dirais même qu'elle me déçoit souvent, mais je ne sais pas ce que serait ma vie sans la bonhomie de cette fille-là. On dit que les contraires s'attirent ; eh bien, ce n'est pas que dans les relations amoureuses. On a besoin, en tout cas j'ai besoin, de son contraire pour survivre dans cette jungle. Et je crois pouvoir affirmer sans trop me tromper qu'elle a besoin de moi aussi.

— Désolée, je ne voulais pas t'insulter, déclare-t-elle, visiblement ébranlée par mon aigreur.

Je l'écoute à peine. Je pense à ma meilleure amie, à toutes ses folies, à ses colères injustifiées et à toutes les fois où elle m'a blessée sans même s'en rendre compte.

— Peut-être aussi que je me sens plus normale auprès d'elle, dis-je, plus calmement. Si je cherchais à me tenir uniquement avec des gens qui me ressemblent, je serais seule et, comme le secondaire est une période qui doit être vécue en groupe — sinon on n'y survit pas —, je préfère m'associer à des gens différents plutôt que d'y laisser ma peau.

— Tu as une vision des plus austères de l'adolescence.

— Je vous avertis, si vous me dites : « C'est pourtant la plus belle époque de l'existence, elle mérite d'être vécue à fond », je vous demande de remonter les escaliers et de prendre l'ascenseur avec les autres illusionnés. Je peux très bien descendre seule avec mon austérité jusqu'en bas.

— Non, non, ne t'inquiète pas, ce n'est pas ce que j'allais dire. Je n'ai pas beaucoup aimé mon adolescence, moi non plus, répond Marie-Josée.

Une question me brûle alors les lèvres, une question que j'ai envie de poser à un professeur du secondaire depuis bien longtemps. Je pense que le moment est bien choisi pour cette interrogation corrosive :

— Pourquoi avoir décidé de revenir dans une école secondaire, alors ? Pourquoi être devenue un *prof* ?

J'ai prononcé le mot avec un tel dédain qu'il n'y a pas de doute possible sur l'impression que je lui ai laissée : elle connaît maintenant toute l'hostilité (complètement injustifiée, je l'avoue) que j'éprouve envers les enseignants. Elle perd alors sa douceur et devient furieuse.

— C'est pas facile, être professeur, Maude, surtout au secondaire. Au primaire, au moins, tu as l'impression d'être admiré, ou du moins apprécié, par tes élèves, et, au cégep, les jeunes se fichent de la personne qui leur enseigne la matière, ils sont tous beaucoup trop *stone* pour se rendre compte qu'il se passe quelque chose à l'avant. Mais, au secondaire, c'est le mépris et la dérision qu'on doit affronter chaque jour. Ton mépris.

Il me faut l'admettre. Elle est arrivée à m'ébranler. Elle parlait fort. Sa voix résonnait sur la pierre. Il est évident que je viens de toucher un point sensible. Mais, malgré son effervescence, je ne comprends toujours pas pourquoi on décide volontairement de s'engager dans un métier dans l'exercice duquel on sera dénigré et même haï. Elle comprend dans mon regard la question que je n'ose plus formuler et y répond, plus calmement.

— Il n'y a que la passion, Maude, qui peut pousser des gens à poursuivre des études en éducation. C'est une vocation, de devenir professeur. Ce ne sont pas les deux mois de vacances par année qui encouragent les gens à opter pour une carrière derrière un pupitre, devant trente élèves téméraires, contrairement à ce que certains peuvent penser ; c'est le désir d'instruire, de communiquer quelque chose de bien à des jeunes qui mèneront l'avenir.

Son discours est tellement solennel que j'entends presque les trompettes et les cors accompagner sa voix puissante. Un urgentologue ou un premier répondant en zone de guerre, des professions plus à risque, il va sans dire, pourraient avoir la même fouge et la même intensité en parlant de leur métier.

Elle paraît honnête, et fondamentalement fière de son boulot. J'avoue me sentir un peu idiote d'avoir posé une étiquette si affligeante sur tout un corps de métier que je connais à peine. Il serait faux d'affirmer que son dithyrambe m'a convaincue et que j'envisage maintenant une carrière dans l'enseignement (aucune apologie ne me persuaderait de devenir professeur au secondaire… aucune), mais elle m'a insufflé un respect que je n'avais pas avant de l'entendre défendre sa profession avec une telle ferveur.

— J'avoue que j'ai peut-être jugé rapidement. Je m'excuse.

Il y a une flamme qui brille dans le regard de Marie-Josée, et cette lumière est inspirante. Je me dis que, si elle était présente dans le cœur et dans l'âme de chaque enseignant, l'école aurait un tout nouveau sens.

— Tu sais, Maude, je pense que tous les profs ont la même passion. Peut-être que les vieux enseignants deviennent blasés avec le temps, qu'ils perdent la joie d'enseigner à force d'être dénigrés par de petits cons analphabètes, mais, à la base, si tu persistes dans un métier difficile comme celui-là, c'est que tu es un véritable passionné.

Bon... Peut-être devient-elle trop cérémonieuse et profonde pour une cage d'escalier. Mais, comme je viens tout juste d'employer le même ton pour défendre mon amitié — qui est probablement critiquable d'un point de vue extérieur —, je suis très mal placée pour juger son engouement.

Elle s'arrête un moment, me regarde et se met à rire.

— Je pense qu'on est toutes les deux plutôt susceptibles.

Comme j'ai envie de lui lancer en plein visage une réplique spontanée et tout à fait irraisonnée du genre: « Hein?! Rapport! Non, je suis pas susceptible », je poursuis, plus honnêtement:

— Oui, je crois bien.

— Quand on ose, ne serait-ce que par une parole, discréditer mon boulot, je m'emporte.

Je me fends le cul pour avoir une permanence depuis des années en enchaînant les remplacements et les temps partiels. Tu dois savoir à quel point les jeunes sont cons quand c'est un remplaçant qui donne le cours au lieu de leur prof normal, non?

— Oh oui! réponds-je instinctivement. Des gars dans ma classe se sont lancé le défi de faire démissionner le plus de profs de math possible l'an dernier, quand notre enseignant habituel a eu la mono.

— C'est ça, des ados.

— C'est con, des ados, rétorqué-je.

— OK, j'ai une idée: on se fait une séance de *bitchage* contre les ados! lance alors Marie-Josée, comme possédée par une folie intrinsèque. Je commence: ils puent! poursuit-elle, excitée d'avoir trouvé quelqu'un avec qui les vilipender.

— Ils puent?!

Je me mets à rire, complètement déstabilisée par le jeu que vient de proposer ma professeure (très peu professionnelle en ce moment, mais ô combien sympathique) et par le choix de sa première offensive.

— Il ne faut pas que tu réfléchisses trop, sinon c'est moins drôle, me dit-elle alors.

— As-tu oublié de me mentionner un détail sur toi, genre que tu es schizophrène, parce que c'est plutôt troublant, comme exercice.

— Allez, ne pense pas, défoule-toi.

Je me plie à ses demandes même si je ne comprends toujours pas le but de la chose (si but il y a, bien sûr) :

— Ils sont inconséquents, incultes, crédules et souvent trop confiants.

— Ils ne respectent pas l'autorité, ils aiment écraser les plus faibles et sont souvent très laids, enchaîne Marie-Josée.

Nous sommes hilares. Nous devons même nous arrêter quelques instants pour reprendre notre souffle tellement le portrait exagéré de cet adolescent laid, puant et indiscipliné nous fait penser à un primate.

— Et, tristement pour nous, comme les singes l'ont fait dans l'œuvre de Pierre Boulle, les adolescents prendront un jour le contrôle de la planète, dis-je entre deux respirations haletantes.

Je me rappelle alors (*spoiler alert !*) la dernière image de *Planet of the Apes*, montrant la statue de la Liberté enfouie dans le sable et révélant ainsi aux spectateurs ingénus que la planète des singes est en fait la Terre.

— La planète des singes possède d'ailleurs l'une des meilleures finales de l'histoire du cinéma, dis-je, comme si je venais de penser tout haut.

Je poursuis ma réflexion en précisant :

— … avec celles de *The Sixth Sense*, *Seven* et *Fight Club*, évidemment.

— On ne peut pas négliger non plus *Pulp Fiction* et *The Usual Suspects*, ajoute ma nouvelle amie.

Le fait qu'elle vient de citer *Pulp Fiction* et *The Usual Suspects* la fait passer du stade de vague connaissance à celui d'amie. Oui, mon amitié se gagne par le respect, et évoquer ces deux titres lui permet de la décrocher sans autre préambule. Il aura fallu des mois à Sandrine et à Ellie pour l'obtenir ; et dire qu'elles n'avaient qu'à mentionner les œuvres de Tarantino et de Bryan Singer…

Elle se dit probablement (avec raison) qu'elle vient de trouver mon point faible, LA chose qui arrive à amadouer la bouillonnante Maude et à modérer ses transports. Elle sourit, fière de voir dans mes yeux de l'étonnement et une certaine admiration.

— J'aime aussi le cinéma, dit-elle, comme pour justifier ses réponses adéquates.

— Et tu sembles aimer le bon cinéma, poursuis-je.

— Merci, répond-elle, un peu gênée par mon compliment. C'est mon père qui m'a transmis cet amour du septième art. Il avait une collection impressionnante de VHS dans le sous-sol quand j'étais petite, et j'ai toujours été bien fascinée par elle. Aujourd'hui, j'essaie d'être aussi assidue qu'il pouvait l'être en collectionnant les

Blu-ray. Toi, Maude, qui t'a communiqué cette passion ?

Je suis à la fois étonnée et désarçonnée par la question.

— Ma grand-mère, probablement. Même si nous étions à l'aube des années 2000, donc suffisamment avancés sur le plan technologique pour posséder des lecteurs DVD, elle utilisait encore son vieux projecteur 8 mm pour nous présenter des films. C'étaient des moments magiques pour des yeux d'enfant.

Je deviens alors plus grave et nostalgique. Des souvenirs de ma grand-mère en train d'enfiler la bobine dans l'appareil me reviennent à l'esprit. Je ne sais pas si c'était le cinéma qu'elle aimait ou la simple idée de voir défiler des images sur sa vieille toile jaunie par les années d'entreposage dans son sous-sol poussiéreux, mais Gilberte a certes contribué à mon amour du septième art. Elle m'a fait connaître des classiques alors que j'étais encore enfant, encore fragile et influençable. Mais personne ne m'a vraiment encouragée à poursuivre dans cette voie. Ma passion du cinéma, elle n'a pas été suggérée par un tiers, comme divers champs d'intérêt le sont peut-être pour certains. Je l'ai bâtie au fil de mes visionnements et de mes nombreuses tentatives pour fuir ce monde tangible dans lequel vivaient mes odieuses sœurs aînées.

Pendant encore plusieurs minutes, nous discutons, en descendant les escaliers, de nos films préférés et de ceux qui nous ont le plus déçues. Marie-Josée me parle de son amour et de son respect pour le travail de Scorsese et moi, je déblatère sur mes préférences pour le cinéma de Nolan et de Fincher, que j'admire profondément.

Chapitre 8

Chambre 623

Quand nous achevons notre descente, les étudiants sont tous entassés dans le hall d'entrée et nous attendent. Ils paraissent légèrement impatients, et ennuyés par le fait d'avoir dû attendre celle qui a peur des ascenseurs. Marie-Josée reprend sa position d'autorité pendant que je rejoins les rangs des assujettis. Nous nous quittons d'un regard complice, satisfaites de notre descente en duo. Tous les jeunes — et particulièrement mes trois amies et moi — sont exténués par cette journée chargée. Il faut dire que nous avons visité New York à vitesse grand V. Nous aurions bien pu prendre trois ou quatre jours pour faire toutes les activités qui étaient au programme aujourd'hui, mais comme notre budget était limité nous en avons fait le maximum le plus rapidement possible. La plupart des jeunes paraissent, tout de même, comblés par le rythme auquel s'est déroulée notre expédition dans la métropole américaine. Mais leur épuisement est manifeste sur leur visage satisfait. L'ambiance est particulièrement calme dans l'autobus durant le trajet jusqu'à l'hôtel. Certains discutent, d'autres rigolent, mais personne ne s'agite comme de coutume.

De retour à l'hôtel, nous nous dirigeons vers notre chambre calmement. Il y a des rumeurs de party à l'étage supérieur, mais nous sommes bien conscientes que Maxime ne nous permettra probablement pas de nous évader de notre pénitencier une seconde fois. Je suis, de toute façon, lessivée. Il faudrait des arguments béton pour me convaincre de quitter les quatre murs de ma résidence temporaire sur l'île de Manhattan. C'est une tout autre histoire pour mes amies, qui, malgré leurs cernes et leur susceptibilité manifeste, trahissant leur manque évident de sommeil, nient catégoriquement leur éreintement. Elles sont comme des enfants en bas âge qui luttent contre la fatigue pour ne rien manquer de la vie des grands et qui font tout en leur pouvoir pour retarder l'heure du dodo. Elles entretiennent même l'espoir de filer à l'anglaise quand les accompagnateurs auront éteint, puis fermé les yeux. Elles entretiennent cet espoir vain jusqu'à ce que quelqu'un cogne à la porte. Je regarde dans l'œil magique pour connaître l'identité de notre visiteur et je découvre (pas réellement surprise, mais plutôt déçue) le visage de mon beau-frère, déformé par le grand angle de la lunette. Je me retourne vers mes copines avec un air dépité pour leur annoncer que notre gardien de prison est arrivé. Après qu'il m'a brusquement sommée de lui ouvrir la porte, j'obtempère et laisse entrer le beau garçon dans l'antre des filles.

— Bonjour, Maxime, fait Sandrine, joyeuse, comme pour dédramatiser notre incarcération.

— Vas-tu vraiment rester là à nous regarder jusqu'à ce qu'on s'endorme ? poursuit Emilia, beaucoup moins joviale que son amie.

— Je ne vous permettrai pas de vous mettre les pieds dans les plats une autre fois, dit-il, fier de l'autorité qu'il détient.

—Si ce n'avait été de toi, notre escapade serait restée secrète.

— D'abord, il n'y a aucune preuve de ce que tu avances, et quitter la chambre d'hôtel à New York la nuit, pendant un voyage scolaire, c'est dangereux, ma belle, et vous devez payer d'une certaine façon.

— D'abord, ne m'appelle pas « ma belle », répond Emilia, et le reste, ce n'est pas de tes affaires.

— Je vais rester de l'autre côté de la porte jusqu'à ce que vous soyez enfin assoupies. Le couvre-feu est à vingt-trois heures pour les autres, mais pour vous il sera une heure plus tôt.

Il regarde Emilia dans les yeux, qui bout de rage, et ajoute, sachant qu'elle explosera :

— Tu n'avais qu'à suivre les règles, *ma belle.*

Bientôt, ma meilleure amie et mon beau-frère montent le ton et leur discussion courroucée prend des airs d'émeute. Maxime nous reproche notre manque de jugement et notre innocence, alors qu'Emilia cite le peu de crédibilité de son autorité et son objectivité controversée (comme je suis, pour ainsi dire, un membre de sa famille). Je ne prends pas position, j'écoute calmement les deux rivaux s'indigner.

Malgré une défense bien menée par une Emilia déterminée, c'est finalement Maxime qui remporte le combat. Ce qu'il remporte ? La chance inouïe de nous surveiller et d'ainsi croire momentanément en sa petite souveraineté. Les bras croisés, appuyé sur le bureau, il nous observe comme s'il attendait qu'on tente une escampette. Bien sûr, nous n'allons pas fuir en sachant que l'homme trop bronzé nous surveille. Après un moment, il nous annonce qu'il retourne à son poste derrière la porte de notre chambre, dans le couloir. Quand il a enfin franchi le seuil, les trois pies s'insurgent contre l'oppression qu'elles subissent éhontément. Elles affublent Maxime de noms qu'il ne serait pas courtois de répéter. Elles parlent suffisamment fort pour que notre sentinelle entende leurs blasphèmes. Mais Maxime ne réagit pas, du moins pas verbalement. J'imagine qu'il s'indigne silencieusement du manque de respect envers l'autorité des jeunes d'aujourd'hui, ne comprenant pas que c'est justement son manque d'autorité que nous critiquons. Quand elles ont terminé d'épiloguer sur notre bourreau, elles avouent partiellement leur surmenage en enfilant leur pyjama et en se pressant sous les draps. On entend alors un coup à la porte et Maxime nous annonce que nos lumières doivent s'éteindre dans vingt minutes, pas une seconde de plus. Les commentaires cinglants reprennent de plus belle jusqu'à ce que Sandrine lance un cri accompagné d'un :

— C'est quoi, ça ?

Nous avons aussi aperçu le feu à l'extérieur. Nous nous dirigeons donc toutes vers la fenêtre, comme des bimbos de films d'horreur qui descendent dans le sous-sol sombre et inquiétant parce qu'elles ont entendu un bruit.

Probablement parce qu'il en a été question aujourd'hui, je me dis que New York est peut-être une fois de plus attaqué par des terroristes. C'est sans doute le genre de pensée qui a caressé momentanément l'esprit de mes amies aussi, parce qu'elles ont l'air affolées et inquiètes. Une seconde torpille enflamme le ciel. Mais c'est seulement lorsque le troisième obus est lancé que nous avons la confirmation que les objets enflammés ont été balancés depuis la chambre au-dessus de nos têtes. Nous entendons alors des acclamations et des rires à l'étage supérieur. Comme notre garde est toujours derrière notre porte et qu'il nous est impossible de sortir pour découvrir la nature des projectiles et la raison pour laquelle ils sont largués dans l'air, nous décidons, d'un commun accord, de lui faire part de notre découverte. Il a déjà été alerté par notre émoi et, comme les coups qu'il martèle dans la porte ne nous interpellent pas, il décide d'entrer. Entassées devant la fenêtre, nous lui faisons signe de venir nous rejoindre. Dès qu'il aperçoit à son tour l'une des boules de feu qui nous ont déconcertées, il sort de la chambre et se lance vers les escaliers, paniqué. Curieuses, nous le suivons, pantoufles en poil synthétique rose aux pieds.

La frénésie est palpable dans le corridor du sixième étage. Une porte est ouverte et plusieurs étudiants la traversent pour entrer et sortir d'une chambre. Sandrine, Ellie, Emilia et moi nous dirigeons vers le lieu du crime. Lorsque nous l'atteignons, nous sommes ébahies par la décrépitude de la pièce. Des jeunes de notre groupe ont déroulé des rouleaux de papier hygiénique partout, allant jusqu'à couvrir chacun des meubles et même une partie des murs (avec je ne sais quel adhésif). Ils en enflamment certains et les jettent par la fenêtre. C'est donc du papier de toilette que nous avons vu brûler depuis notre chambre, un étage plus bas (et donc loin de l'attaque terroriste appréhendée). La pancarte *Buckle up. It's the law* que quelques garçons avait décrochée d'un poteau lors de l'un de nos arrêts dans une halte routière trône au-dessus d'un des lits comme les diplômes que les médecins ou les avocats accrochent sur leur mur pour paraître plus compétents. Dans ce cas-ci, pas besoin de vous dire qu'il ne s'agit pas d'une preuve de leur compétence, mais bien d'une expression tangible de leur bêtise. Un iPod caché par les couches de papier blanc joue du rock de garage et le plancher de la salle de bain est couvert de shampoing ou de l'un des produits que l'hôtel offre gratuitement aux voyageurs (sans penser que des jeunes pourraient s'en servir comme lubrifiant à céramique). Un des imbéciles de quinze ans a soudainement la brillante idée de transposer le concept et de couvrir de lotion le plancher de la pièce principale également. Les chambres d'hôtel sont généralement couvertes de tapis, et je crois que je comprends la raison du choix du matériau quand l'adolescent à l'intelligence limitée (je me dis alors que le portrait grotesque de l'adolescent-singe que Marie-Josée et moi avons élaboré précédemment n'est peut-être pas aussi exagéré que nous le croyions) enduit le plancher flottant d'une mince couche de produit verdâtre et s'élance pieds nus sur la surface glissante. L'activité semble si amusante que les pyromanes lâchent leurs briquets pour accompagner le primate dans son jeu.

Je me doute bien qu'il m'est inutile d'expliquer à quel point je suis dépassée et désolée par ce spectacle que nous observons depuis le corridor. Je me demande brièvement quelle drogue a bien pu les encourager à planifier une telle débâcle, jusqu'à ce que je revienne à la raison et prenne conscience que l'adolescence est un motif suffisant à une imbécillité d'une telle ampleur.

Maxime arrive bientôt à l'étage avec Marie-Josée ; il est allé se chercher une alliée. Quand les professeurs entrent en trombe dans la pièce, une foule impressionnante de jeunes déboulent dans le couloir en courant ensuite pour rejoindre leurs chambres respectives. Je me dis alors que Marie-Josée a beaucoup plus d'autorité que Maxime. Le pauvre *douchebag* n'aurait rien pu faire pour contrôler la foule de jeunes inconscients sans elle.

— Mais vous êtes don' ben caves ! crie une Marie-Josée au paroxysme de la consternation.

Maxime observe le dégât, lui aussi excessivement contrarié.

Les jeunes responsables, clients de la chambre 623, jouent d'abord les durs en répondant des âneries du genre :

— Nous nous amusons, ce n'est pas fait pour ça, les voyages scolaires ?

Je n'avais jamais vu Marie-Josée aussi courroucée. Même lorsqu'elle défendait son métier avec conviction, elle n'était pas aussi contrariée. Elle referme ses doigts dans la paume de ses mains. J'ai l'impression qu'elle se prépare à décocher un uppercut au visage des responsables. Sa figure s'empourpre de colère et elle prend de grandes respirations bruyantes pour arriver à garder son calme et ne pas laisser des blessés ou même des morts derrière. Elle ordonne à tous les gens qui ne devraient pas se trouver là de retourner dans leur chambre immédiatement. Quelques fringants encore présents, qui voulaient une place au premier rang pour le combat, se résignent à réintégrer leurs quartiers. Emilia, trop curieuse pour retourner dans ses appartements sans tenter d'abord l'espionnage, se colle contre le mur à deux pouces de la porte et écoute les réprimandes de l'enseignante. Sandrine et Ellie, quant à elles, ont déjà décampé quand elle décide que nous épierons les tribulations de la chambre 623. Elle me retient d'une poigne ferme par le bras gauche. J'essaie de m'enfuir pour rejoindre les autres, mais elle serre davantage son étreinte et tente de me convaincre de rester en me lançant des regards attendrissants de bébé chat. Je me plie donc à ses caprices (comme je le fais toujours), qui profitent aussi, avouons-le, à ma curiosité dévorante.

— J'espère que ça en a valu la peine, j'espère vraiment que vous vous êtes amusés à foutre le bordel dans une chambre d'hôtel de New York, parce que vous êtes le dernier groupe qui aura la chance d'y aller. Et j'espère aussi que vous avez une grande confiance et beaucoup d'humilité, parce que vous serez étiquetés comme les responsables de l'abolition des voyages scolaires de votre école pour toujours.

Elle exagère sûrement. Ce ne sont pas une bouteille de shampoing sur le plancher et du papier hygiénique qui feront condamner les voyages scolaires à jamais. J'imagine que sa tactique est de les effrayer, de les faire se sentir coupables et honteux. Il y a peu de sentiments plus douloureux que le regret et la honte, et Marie-Josée semble l'avoir compris depuis longtemps.

Les insurgés gardent la tête haute pendant un moment, répondant même à la professeure qu'effectivement, ils ont eu beaucoup de plaisir à désobéir aux règles. Voyant qu'elle n'apprécie pas leur réponse, le chef du groupe (que je ne vois pas, mais dont j'entends la voix téméraire) lui dit même, pour la provoquer, qu'il envisage d'être un délinquant toute sa vie. Emilia paraît excitée d'entendre cet élève défier l'autorité. Je chuchote : « Quel con ! » à l'oreille de mon amie, un peu parce que je crains qu'elle soit séduite par tant d'insubordination.

— Ça prend du courage quand même, me souffle-t-elle, déjà entichée du rebelle.

— Antoine, j'aurai une bonne discussion avec tes parents en rentrant à la maison, déclare alors l'enseignante, dépassée par l'irrespect de son étudiant de deuxième cycle.

Comme elle vient de le nommer, nous connaissons maintenant l'identité du trouble-fête : Antoine St-Gelais. Quand nous entendons les deux adultes revenir vers la porte, ma meilleure amie et moi courons vers l'escalier pour rejoindre les autres. Bien que je croie que notre mission d'espionnage est terminée et qu'il est temps de retourner à nos quartiers généraux, Emilia me retient encore derrière la porte de la cage d'escalier.

— Elle n'a pas terminé. Elle va revenir. Je veux voir la suite ! s'exclame-t-elle, stimulée par le chaos.

— Allez, Emilia, on n'a rien à faire ici, dis-je en tentant de l'entraîner vers l'étage inférieur.

Mais elle tire de plus belle pour me ramener vers elle. Je finis donc par céder et observe par la fenêtre de la porte la fin du spectacle. Quelques minutes plus tard, Marie-Josée revient avec un chariot de femme de chambre. Quand la professeure a pénétré à nouveau dans la chambre 623, Emilia sort de sa cachette et m'entraîne avec elle.

— Je veux entendre ce qu'ils vont dire, argumente-t-elle pour justifier ses actes imprudents.

Je ne trouve rien à répondre, sachant qu'aucun plaidoyer ne la convaincra d'abandonner son idée.

— Ce ne sont certainement pas les femmes de ménage qui nettoieront vos frasques, déclare Marie-Josée, très en colère. Je veux que cette pièce reluise ! Vous allez tout nettoyer de fond en comble.

La professeure est hystérique.

— Ce n'était même pas notre idée, ce party-là, dit finalement l'un d'entre eux, visiblement désenchanté par ses corvées. Ce sont les filles de la 622 qui nous ont mis au défi.

Bientôt, on entend des hurlements provenant de la chambre voisine. Les occupantes couvrent le traître de noms peu flatteurs. Elles écoutaient probablement la conversation avec un verre, au travers du mur.

— Vous aurez donc de l'aide pour nettoyer. Les filles, venez nous rejoindre immédiatement ! crie Marie-Josée, pas d'humeur à parlementer.

Les adolescentes rechignent légèrement avant de retrouver leurs complices dans la 623. Lorsqu'elles traversent le couloir, elles nous aperçoivent, assises là, en train d'espionner le massacre. Elles nous lancent des regards odieux avant de prendre part au carnage dirigé par une enseignante à bout de nerfs.

— Mais ça va nous prendre toute la nuit, déclare alors l'une des fautives en contemplant l'ampleur des dégâts.

— Je m'en fous, de si ça vous prend toute la nuit, je ne quitterai pas cette chambre tant qu'elle ne sera pas impeccable, affirme Marie-Josée du tac au tac.

Maxime est dans la pièce depuis le début, mais ne dit mot. Je ne sais pas s'il compatit avec les trouble-fêtes ou s'il est complètement dépassé par la situation, mais il ne s'exprime que pour appuyer les ordres de sa partenaire ou les répéter pour les oreilles moins attentives.

Quand les étudiants récalcitrants prennent le balai et la serpillière pour réparer leurs bavures, Emilia me fait signe qu'il est maintenant temps pour nous de déguerpir. Je suis alors soulagée et cours vers les marches sans me faire prier.

Arrivées à notre chambre, nous racontons à Ellie et à Sandrine la discussion agitée à laquelle nous avons assisté et la punition que Marie-Josée a livrée aux fêtards. Emilia dépeint l'affaire en décrivant Anto comme un héros. Son attitude me choque. J'irais même jusqu'à dire qu'elle m'écœure.

— Es-tu au moins capable de déterminer qui sont les bons et qui sont les méchants, dans cette histoire-là, Emilia ? lancé-je, agacée par son obsession du désordre.

— Il a eu raison, Anto, de répondre à Marie-Josée comme il l'a fait. Elle n'est pas sa mère ! Nous avons quand même le droit de nous amuser.

Je la regarde fixement en me disant que quelque chose à l'intérieur de mon amie est en train de se briser. Je voudrais trouver les mots justes pour lui faire comprendre l'illogisme de son discours, son immense inconséquence, mais j'ai peur qu'il soit déjà trop tard. Je m'assois sur le lit et poursuis plus calmement :

— Emilia, tu ne peux pas penser ce que tu dis, ça n'a aucun sens. Il y a d'autres façons de s'amuser. On n'a pas besoin de foutre le bordel pour ça.

Elle ne m'écoute plus. Elle pense probablement à ce garçon qui l'a éveillée à la désobéissance.

— Sandrine, tu as été dans sa classe, à Anto. Comment il est ? demande-t-elle.

Je m'excuse mentalement auprès d'Évelyne pour n'avoir pu faire échouer la rencontre d'Emilia avec la rébellion. J'espère que ce n'est qu'une lubie passagère et que bientôt elle comprendra toute l'absurdité des gestes de son nouveau prince. Mais j'ai bien peur que la ramener dans le droit chemin soit plus ardu que la convaincre de poser des actions réprimandables par amour.

Emilia tombe amoureuse facilement et, comme ces derniers temps elle a développé des envies de sédition, il ne serait pas étonnant qu'elle s'éprenne d'un futur décrocheur (et, ultimement, braqueur de banque et batteur de femmes) comme Anto St-Gelais. J'écoute donc Sandrine décrire le personnage, sans broncher :

— Anto est à la fois aimé et craint de tous. Même les professeurs en ont peur. Il y a énormément de rumeurs qui courent à son sujet. Il aurait, semble-t-il, passé une nuit en prison l'année dernière pour avoir volé une voiture. Il est beau, par exemple. Cheveux mi-longs, yeux verts perçants, oreilles *stretchées*. D'ailleurs, il paraît qu'il a lui-même *stretché* ses oreilles.

— Ark ! fait Ellie, dégoûtée à l'idée d'un garçon qui s'efforce d'agrandir les trous percés dans ses oreilles avec des objets pointus en faisant mine, bien sûr, de ne pas souffrir.

Au moins, il y en a une qui a encore une conscience. Je suis d'accord avec Ellie, c'est abominable d'imposer de telles souffrances à son corps. Je ne dis pas que le résultat est affreux ; des trous d'une dimension respectable (un demi-centimètre maximum, selon mes standards), c'est assez joli, mais au-delà de ça c'est de la torture esthétiquement camouflée. Nous ne sommes quand même pas des indigènes ou une quelconque culture qui s'inflige ces sévices physiques pour se rapprocher de Dieu ; nous le faisons uniquement parce que nous considérons que le résultat est joli. Nous sommes une civilisation particulièrement étrange… hommes, femmes, enfants, humains.

— Je crois qu'il me plaît, dit alors Emilia, nous confirmant qu'elle a définitivement perdu la raison.

Sandrine et Ellie ne disent mot, attendant de voir si la Latina est sérieuse. Comme elle continue de sourire bêtement et ne dément pas ses dires, elles lui souhaitent bonne chance dans ses tentatives de séduction. Mes amies semblent également effrayées à l'idée qu'Emilia puisse se transformer en délinquante juvénile. Elles aussi ont remarqué son nouveau penchant pour l'illégalité. Elles ont même participé à certaines de ses initiatives de hors-la-loi, inconscientes qu'elles l'encourageaient à repousser ses limites. Aucune d'entre nous n'a envie de l'informer du danger qui la guette si elle s'amourache d'un jeune homme comme Anto St-Gelais. Même moi. Moi qui normalement essaie de secouer ma meilleure amie le plus fort possible pour qu'elle revienne à la raison, je n'ai pas envie de me battre pour rien. Je suis de toute façon, aujourd'hui, beaucoup trop épuisée pour avoir les idées claires. Je m'étends sous les draps et espère que les envies d'Emilia s'estomperont au matin. Mais je suis, même exténuée, beaucoup trop lucide pour me croire moi-même.

Chapitre 9

Le dernier chapitre

Quand les premiers rayons du soleil traversent la fenêtre de la chambre d'hôtel et frappent mon visage endormi, j'ai du mal à me rappeler où je suis. J'entrouvre donc un œil pour remettre mes idées en place. Quand j'aperçois les murs blancs et les lourds rideaux rouges, je me rappelle la discothèque, Ground Zero, le magasinage, l'ascenseur et les déboires d'Antoine St-Gelais. Je m'assois dans mon lit et regarde dormir mes amies quelques secondes avant que le téléphone sonne pour nous réveiller. Sandrine prend le combiné et raccroche immédiatement, puisqu'il s'agit du *wake-up call* et que nous devons maintenant nous lever. Les yeux embués, en silence, nous nous habillons, rangeons nos vêtements et nos cosmétiques dans notre valise, faisons une dernière vérification dans la pièce pour nous assurer que nous n'avons rien oublié et sortons, encore ensommeillées, avec nos valises et nos sacs en main. Nous retrouvons le reste du groupe à la salle à manger, au rez-de-chaussée. Nous nous installons à une table et nous apprêtons à déguster notre dernier petit déjeuner continental new-yorkais avant de retrouver notre rassurant froid sibérien québécois.

— Bien dormi ? me demande Ellie en bâillant, la bouche grande ouverte.

— Pas mal, lui réponds-je, indifférente.

Emilia arrive alors derrière nous, excitée et beaucoup plus motivée que nous ne le sommes, et nous assaille de questions :

— Croyez-vous que je devrais aller lui parler ? Est-ce que ça fait trop désespéré ? Est-ce que je lui plairais, vous croyez ?

Malheureusement, la nuit n'a pas aidé Emilia à retrouver ses esprits. Elle a toujours en tête de conquérir le garçon le plus délinquant de l'école. Son attitude me rappelle celle qu'elle avait quand elle s'est éprise de Matt, mais Matt était beaucoup moins dangereux que ne l'est Anto.

— Je crois que tu devrais attendre un peu, Emilia, laisse-toi désirer, lance alors Sandrine en se joignant à nous.

— *Tal vez tienes razón*, je vais la jouer discrète et désirable.

Nous sommes un peu rassurées qu'elle ne choisisse pas l'offensive. Reporter le problème à plus tard est une option qui nous satisfait pour le moment.

Pendant que nous mangeons nos pâtisseries matinales (les Américains sont bien friands de beignes au petit déjeuner, il semblerait), la Latina lance des regards prudents vers Antoine pour… le charmer, probablement.

— Il a déjà une copine, je pense. Laisse tomber Anto, Emilia, il y a plein d'autres gars intéressants autour de nous.

Sandrine étudie la pièce, à la recherche de candidats potentiels pour le cœur de notre amie, mais s'aperçoit rapidement que le lot d'aspirants intéressants est assez mince.

— Bon, peut-être pas ici, maintenant, mais à l'école il y a tout de même des soupirants qui méritent un certain intérêt.

Sandrine nomme alors quelques individus, pour enfin se rendre compte que le nombre de gars séduisants en quatrième secondaire est vraiment limité ; plus qu'elle ne le croyait, visiblement.

— Mais il n'y en a pas un de sexy comme lui, déclare Emilia en désignant Anto, qui est en train de faire une bouillie dans son assiette en mélangeant du yogourt, du lait, de la confiture aux framboises et de la crème pâtissière qu'il extrait d'un beigne… Encore une fois, Emilia et moi n'avons pas la même définition d'un mot. « Sexy » est rarement le terme que j'emploie quand je décris un enfant qui joue avec sa nourriture.

Au moins, cette fois, je ne suis pas la seule à percevoir le ridicule de la situation. Ellie et Sandrine me regardent, affolées, pendant que la Latino-Américaine observe amoureusement son nouveau béguin.

Quand on nous somme de rejoindre l'autobus, nous nous efforçons de lever nos corps engourdis, qui auraient probablement eu besoin de quelques heures de sommeil supplémentaires. Aujourd'hui, notre programme consiste à visiter l'American Museum of Natural History, puis à passer quelques heures à Times Square. Le mot « musée » n'en est pas un qui excite beaucoup les étudiants, aussi renommé et célèbre l'établissement en question soit-il. Marie-Josée s'efforce bien de nous motiver en nous spécifiant que celui-ci existe depuis 1869 et qu'il accueille près de cinq millions de visiteurs par année, mais ses efforts sont vains. Nous avions déjà décidé qu'en vacances, nous ne voulions pas apprendre de nouvelles choses (une décision excessivement stupide : je n'ai jamais dit qu'il s'agissait d'une bonne idée).

Il faut avouer que le musée est assez impressionnant. Je me rappelle d'ailleurs avoir vu cette devanture dans plusieurs films. À notre arrivée à l'intérieur, on nous donne chacun un billet nous permettant d'accéder à toutes les expositions et on nous laisse libres de découvrir l'endroit par nous-mêmes. Évidemment, la plupart resteront assis sur un banc pendant les trois heures de notre visite et n'auront rien appris, mais il semble que c'est un risque que l'école est prête à assumer. Il y a une exposition sur les baleines, une autre sur les poissons, et un vivarium dans lequel volent librement plus de deux cent cinquante mille espèces de papillons. C'est d'ailleurs à cet endroit qu'Emilia recommence à nous bassiner avec ses amours impossibles.

— Vous pensez que je suis son genre ? demande-t-elle alors que nous déambulons sans but dans la serre temporaire du musée.

Nous ne répondons pas, alors elle poursuit avec ses non-sens.

— Il me semble que nous formerions un beau couple…

— Il n'est pas trop… — Sandrine hésite avant de trouver le mot adéquat pour ne pas blesser notre amie — *hard* pour toi, trop dissipé ?

— J'aime les rebelles, et on ne le connaît pas, peut-être qu'il n'est pas aussi dur qu'on le dit, peut-être qu'il sera doux et gentil avec moi.

Je me retiens depuis hier soir pour ne pas brusquer ma meilleure amie, mais là, je crois qu'elle a besoin d'être secouée.

— Bon là, Emilia, réveille-toi ! Le beau gars rebelle, joué par Heath Ledger, qui selon la rumeur aurait fait un passage en prison, mais qui en fait prend soin de son grand-père et chante *Can't Take My Eyes Off You* de Frankie Valli en descendant l'estrade du stade de football accompagné par la fanfare de l'école n'existe pas dans la vraie vie ! Dans la vraie vie, le gars est mort d'une overdose ! Laisse tomber, Emilia, tu ne vas que t'attirer des ennuis.

La Latino-Américaine est alors particulièrement offusquée que j'ose lui parler sur ce ton. Elle ne répond pas à mes attaques et quitte simplement la pièce en furie (s'il y avait eu une porte à claquer, elle l'aurait claquée théâtralement). Je l'observe partir en me disant que j'aurais pu être plus délicate avec elle, mais mes copines m'assurent que j'ai bien agi.

— Il fallait que quelqu'un le lui dise, précise Sandrine.

— Et tu le fais toujours de si élégante façon, ajoute Ellie en me tapant dans le dos.

Pendant tout le reste de la visite, le regret me tenaille. Je reste même assise toute seule pendant un moment alors qu'Ellie et Sandrine font un dernier tour d'horizon avant qu'on ne reprenne le chemin du retour.

Alors que j'observe un squelette de dinosaure et que je l'imagine prendre vie comme dans *Night at the Museum*, un groupe de filles s'approche de moi et m'interpelle nonchalamment :

— Maude ? dit l'une d'elles, qui ne semble pas convaincue que je suis celle qu'elle recherche.

Je crois les reconnaître lorsqu'elles viennent m'encercler. Elles étaient assises auprès d'Antoine ce matin quand Emilia le dévisageait très peu discrètement. Et je crois, en plus, qu'il s'agit des mêmes filles qui ont été accusées de complot dans l'organisation du party d'hier dans la chambre 623.

— Je vous avertis, les filles, il n'est pas question que je vous donne mon argent de poche ou le contenu de ma boîte à lunch, dis-je, inquiète des intentions de ces filles plus grandes, plus nombreuses, et surtout (parce que c'est toujours la donnée la plus importante au secondaire), plus populaires que moi.

Elles sont d'abord surprises par ma réaction inattendue.

— Eeee, non, on n'est pas ici pour te taxer, continue la despote aux cheveux roux.

— Qu'est-ce que vous voulez, alors ? poursuis-je, de plus en plus anxieuse de connaître leurs intentions.

— Emilia nous a dit quelque chose et nous aimerions valider cette chose avec toi.

Je me demande alors ce que la Latina est encore allée raconter aux gens de la caste supérieure pour faire bonne figure et, probablement, pour séduire leur chef masculin.

— D'accord, dis-je, maintenant contrariée de devoir répondre des actes de mon écervelée de meilleure amie, qui nous a abandonnées quelques heures auparavant pour aller flirter avec les trouble-fêtes.

— Eh bien, elle nous a dit qu'avant-hier soir vous êtes sorties de votre chambre et avez été dans une discothèque.

Je suis figée. Complètement aberrée par la déloyauté de ma copine. Comment a-t-elle pu révéler notre secret à des étrangères ? Est-ce que mon attaque était suffisamment violente pour convaincre ma meilleure amie que nous trahir était nécessaire ? Elle a été tellement égoïste sur ce coup-là, tellement ingrate, que je ne peux être plus désappointée par son attitude de rapporteuse.

L'étudiante rouquine me fixe toujours et attend ma réponse. J'essaie rapidement d'évaluer les répercussions possibles de cette dernière. Si je mens et déclare que ce qu'elle a affirmé est complètement faux, je détruirai pour toujours la réputation de ma meilleure amie, qui tient à celle-ci probablement plus qu'à moi. Mais, si je confirme ses dires, l'information risque de se propager et nous serons punies à la puissance mille, surtout Sandrine, qui pourrait ne pas survivre à la colère de sa mère. Au moment où j'ouvre la bouche pour répondre, Marie-Josée nous crie de nous diriger vers l'autobus et de faire vite, puisqu'il ne peut rester immobiles bien longtemps sans bloquer le trafic sur Columbus Avenue. Je me dépêche donc de rejoindre mon siège dans le véhicule, en fuyant les questions indiscrètes de ces quelques commères. Emilia est déjà assise quand j'entre dans l'autocar. Sandrine et Ellie sont aussi sagement installées, derrière elle. Je bous de rage et ma meilleure amie s'en rend rapidement compte.

— Qu'est-ce qui se passe ?

— Je ne comprends pas pourquoi tu as fait ça, Emilia. Je suis vraiment très déçue de toi, m'exclamé-je en guise d'introduction à mon envolée colérique.

— Hein ? fait-elle alors, en feignant d'ignorer ce que je m'apprête à lui lancer.

Sandrine et Ellie approchent leurs têtes de notre banc, voyant que nous tramons quelque chose.

— Une fille vient de me demander si c'était vrai que nous avions quitté notre chambre d'hôtel pour aller faire la tournée des bars.

— Tu l'as dit ? s'énerve Ellie en entendant mon accusation.

Emilia rougit et commence son plaidoyer.

— Elle m'a provoquée. Elle m'a dit que je n'étais pas suffisamment culottée pour défier l'autorité, que je ne méritais pas de leur adresser la parole. Elle m'a même dit que c'est à force de me tenir avec toi, Maude, que je devenais molle et obéissante.

J'ai envie d'arracher la tête à cette petite pétasse rousse qui se croit en droit de dénigrer les autres et qui se prétend supérieure.

— Et tu as pensé que lui dire ce que nous avons fait te redonnerait de la crédibilité ? s'exclame Sandrine, aussi outrée qu'Ellie et moi pouvons l'être.

Emilia se met à pleurer. Nous sommes d'une certaine façon rassurées par ses larmes (dont nous espérons qu'elles ne soient pas de crocodile). Elle n'a pas complètement perdu sa conscience. Elle s'aperçoit qu'elle est allée trop loin en risquant le bien-être de celles à qui elle tient, visiblement, encore un peu.

Elle s'excuse au travers de ses pleurs, mais nous ne l'écoutons plus, nous nous appuyons contre le dossier, les bras croisés, et nous retournons vers la professeure de français, qui vient de reprendre la parole :

— Nous nous dirigeons maintenant vers Times Square. Vous aurez alors deux heures pour y flâner avant notre départ. Il fait très beau, alors profitez du soleil et de la beauté de New York une dernière fois avant de partir. Je vous avertis, il semblerait qu'il neige présentement au Québec.

La foule pousse alors des soupirs de consternation synchronisés et déjà l'autobus s'arrête pour nous laisser sortir et respirer l'air pollué de la Grosse Pomme une dernière fois. Les étudiants paraissent énervés en voyant ce coin de rue légendaire. Évidemment, Sandrine, Ellie, Emilia et moi avons déjà arpenté cette partie de Broadway, mais, comme il s'agissait d'une sortie interdite, nous nous efforçons de simuler l'admiration de la première fois. Cette visite nocturne se révèle toutefois une bonne chose de faite, par contre, car des problèmes beaucoup plus graves nous empêchent de profiter pleinement de l'endroit à cet instant.

— On va aller parler ailleurs, dis-je en entraînant Judas et ses disciples en rogne loin des oreilles curieuses des professeurs.

En circulant entre les touristes ébahis et les citadins pressés, je me dis qu'il est tout de même assez étonnant qu'on nous laisse nous promener ainsi (sans laisse) dans un endroit aussi peuplé au cœur d'un pays étranger. Et tout ça, parce que nos parents ont signé une décharge qui stipule qu'ils ne tiendraient pas responsables les accompagnateurs si un « pépin » (genre, la mort) survenait. Évidemment, aucun étudiant n'a jamais osé faire le commentaire, de peur que les professeurs et les parents prennent conscience de l'ampleur des risques qu'implique l'abandon d'adolescents dans un lieu public comme Times Square et qu'ils révisent leurs priorités ; mais le questionnement subsiste.

En voyant les nombreuses affiches annonçant des comédies musicales, je me dis que cette activité devrait se retrouver sur ma *bucket list*. Avant de mourir, je dois revenir ici pour y voir l'un de ces spectacles à grand déploiement. J'aime les films inspirés de ces pièces de théâtre chantées, alors j'imagine que j'en apprécierai d'autant plus la version scénique. Pendant que j'observe discrètement les choix de représentations que j'aurai quand je serai plus grande et plus riche, Emilia nous demande de la suivre alors qu'elle se précipite dans le magasin Disney. Je trouve plutôt loufoque qu'elle considère le repaire de Mickey Mouse comme un endroit sûr pour discuter, mais nous n'avons pas le loisir de contester sa décision. Elle a déjà passé les portes de la boutique du Bertelsmann Building quand nous nous extrayons de la dense foule de Broadway.

Comme j'ai un lien assez étroit avec les personnages de Disney (je ne crois pas que j'aie besoin, à nouveau, de vous expliquer les travers de ma famille), je trouve particulièrement étrange d'entrer dans un établissement comme celui-ci. Il y a des Belle, des Ariel et des Jasmine partout. En regardant les poupées, je me fais une réflexion que je n'avais jamais eue auparavant : mes sœurs ne ressemblent pas du tout à leurs alter ego animés respectifs… C'est peut-être mieux ainsi, d'ailleurs, parce que les rapprochements auraient été encore plus faciles à faire entre les princesses et mes sœurs, et les traumatismes encore plus importants.

Il y a tellement de gens, tellement d'objets colorés et d'écrans projetant des films d'animation qu'il n'est pas nécessaire d'être TDA (trouble déficitaire de l'attention) pour perdre sa concentration. C'est probablement même une esquive assez astucieuse que d'entraîner ses bourreaux dans un endroit comme celui-ci. Notre coupable a d'ailleurs déjà disparu. Ellie et Sandrine se sont offusquées d'être ainsi manipulées par celle qui devrait pourtant être prosternée à leurs pieds pour s'excuser, mais elles sont un peu à l'image de Doris dans *Finding Nemo* : elles sont irritées et, la seconde suivante, après avoir vu une chose mignonne comme une peluche de Pan Pan, le lapin du film *Bambi*, ou une chose saugrenue comme un oreiller en forme de Jack Skellington, issu du film *The Nightmare Before Christmas* (il faut avouer que ce doit tout de même être traumatisant de dormir sur la tête d'un squelette ; il y a des limites à encourager les cauchemars de ses enfants), elles ont complètement oublié la raison de leur dispute avec la Latina. Pendant que l'effet Disney anesthésie la rage de mes amies, j'en profite pour chercher un cadeau à donner à mes sœurs. Généralement, je n'aurais jamais pensé à rapporter un présent pour les princesses, mais, comme je suis dans cet endroit tout désigné et que mes sœurs détestent recevoir des cadeaux à l'effigie de leurs personnages de Disney respectifs, je saisis l'occasion de leur faire péter un plomb. Je ne trouve rien de bien approprié jusqu'à ce que Sandrine, excitée, coure vers moi, un chandail à la main. Elle l'ouvre devant mes yeux, qui se mettent à briller de mille feux. Il s'agit d'un t-shirt sur lequel on peut voir les princesses Belle, Ariel et Jasmine complètement déconfites, les diadèmes tombants et les yeux cernés, au-dessus des mots *Princess' Hangover*. Je me dis alors que cette image aura tôt fait de briser les rêves des petites filles, mais qu'elle est toute désignée pour mon public de vieilles alcooliques. Je m'empresse de louer l'œil avisé de ma copine et poursuis à ses côtés la visite de l'endroit avec en main trois exemplaires de ce morceau parfaitement irrévérencieux que mes sœurs haïront au premier regard.

Je savais que l'entreprise Disney était inégalée dans le domaine des objets promotionnels inutiles, mais je suis plutôt étonnée de la diversité des « gogosses » qu'on retrouve en ces lieux sacrosaints. Il y a des services à thé, des ustensiles, des toiles signées à plus de mille dollars US, des pièces de collection très coûteuses aussi et, évidemment, des jouets en quantité industrielle. Alors que nous l'avions presque oubliée, nous retrouvons Emilia, assise sur une chaise d'enfant rose marquée du portrait de la princesse Aurore (il y a une ironie ici qu'il est particulièrement difficile d'ignorer), en train de pleurnicher. J'ai d'abord envie de la consoler, mais je me rappelle ensuite tout ce que j'ai fait pour elle pendant ce voyage (et avant, bien entendu) et ce qu'elle a osé faire en guise de remerciement. Ellie et Sandrine retrouvent également leur fureur en tombant face à face avec la délatrice. Nous nous installons sur les sièges à ses côtés (ceux à l'image de Winnie l'Ourson, Cendrillon et Minnie Mouse ; nous sommes d'un sérieux implacable !) et attendons toutes que quelqu'un d'autre prenne la parole.

C'est finalement Emilia qui casse la glace, ayant probablement préparé son discours pendant que nous déambulions dans la boutique aux nombreuses distractions.

— J'étais très en colère contre toi, Maude, donc je suis partie seule de mon côté pour décompresser. J'ai vu les filles qui se tenaient avec Antoine ce matin et j'ai cru que je pourrais me rapprocher de lui en attirant d'abord la sympathie de ses amies. Quand j'ai engagé la conversation, elles m'ont répondu ce que je vous ai dit tout à l'heure, alors je me suis dit que, si je leur apprenais ce que nous avons fait l'autre nuit, comment nous avons réussi à sortir de l'hôtel et à entrer dans une grosse discothèque, nous ne serions plus considérées comme des *losers*.

— On s'en fout, d'être considérées comme des *losers* par ce genre de filles-là, Emilia !

Sandrine crie à la tête de la Latino-Américaine. Elle est décidément très en colère.

Je lui fais signe de baisser le ton. Nous sommes tout de même entourées d'enfants, qui regardent, paisiblement, le film *Frozen* qui joue sur le téléviseur en face d'eux.

Emilia pleure à nouveau et baragouine quelque chose qui ressemble à :

— Je leur ai pourtant dit de n'en parler à personne, surtout pas à vous trois, que c'était un *secreto*.

La pauvre enfant n'a toujours pas compris comment fonctionnent les filles. La curiosité et le désir de partager nos secrets constituent une sorte de gène congénital très dangereux. Même si, depuis la nuit des temps, des filles révèlent des informations à d'autres filles en leur faisant promettre de ne jamais les divulguer à qui que ce soit et que cela ne fonctionne jamais puisque nous sommes toutes beaucoup trop pies pour garder des secrets, nous continuons naïvement à le faire… parce que c'est dans nos gènes. Les filles — et les femmes ; ça ne s'arrête pas à l'adolescence, c'est une chose qui nous suit toute notre vie — ne peuvent pas s'empêcher de parler. Si elles détiennent une information qu'elles savent confidentielle, elles ne pourront se retenir de la révéler à un tiers. J'appelle ça la règle du « sauf ». Le « sauf » est à l'origine d'une quantité infinie de chicanes de filles, certaines superficielles, d'autres qui ont détruit des amitiés (et même des vies) à jamais. Dans le cas d'un « sauf » typique, une fille révélera à une de ses amies proches qu'elle a, par exemple, couché avec le chum d'une autre et lui demandera de garder le secret. La seconde, maintenant détentrice d'une arme nucléaire, promettra sur la tête de sa mère de ne jamais communiquer le scoop à personne. Mais, une semaine plus tard, au cours d'une soirée bien arrosée, elle transmettra l'exclusivité à une troisième personne en lui demandant de ne rien dire. La troisième fera comme la première et la deuxième et propagera la nouvelle auprès d'une autre, et ainsi de suite, jusqu'à ce que la cocue, principale intéressée, l'apprenne et affronte son copain, qui ira se plaindre à sa maîtresse, qui, innocemment, dira probablement : « Mais pourtant, je ne l'ai dit à personne, sauf... »

Emilia est tombée dans le piège du « sauf » en pleine figure. Et, même si elle n'a rendu personne cocu, elle a tout de même mis notre réputation en danger.

— Tu n'es pas encore assez vieille pour savoir que ce n'est pas une bonne idée de parler de tes erreurs à des étrangers ? m'enquiers-je, avec toute la crédibilité qu'on peut dégager dans un siège Winnie l'Ourson.

— Est-ce que tu te rends compte de ce qui m'attend, moi, quand je vais revenir à la maison si ma mère apprend ça ? lance Sandrine, plus calme, mais complètement déboussolée par la félonie d'Emilia.

La Latina ne parle pas. Elle observe les enfants, captivés par la princesse aux cheveux blancs et ses pouvoirs magiques.

— *Lo siento, chicas.* Je n'ai pas voulu vous mettre dans cette situation. Je voulais juste qu'elles comprennent que nous n'étions pas des peureuses ni des lâches.

— Non, non, tu voulais qu'elles comprennent que TU n'étais pas une peureuse, que TU n'étais pas une lâche. Une nuance TRÈS importante, fait Sandrine en reprenant de la vigueur.

C'est tellement important pour Emilia de ne pas être au bas de l'échelle. Elle accepte de ne pas être au sommet, elle n'a jamais voulu être au sommet, mais elle ne veut pas non plus être considérée comme une dégonflée. Surtout maintenant qu'elle a décidé de séduire le gars le plus rebelle de l'école. Peut-être d'ailleurs que ses intentions ont changé, peut-être qu'elle aimerait atteindre le sommet de la hiérarchie aujourd'hui.

J'essaie de réfléchir à une manière de nous sortir de ce pétrin, mais, sans ma machine à voyager dans le temps (je demande ça pour ma fête, c'est certain), j'en suis réduite à du recollage de pots cassés.

— Je crois que nous n'avons pas le choix. Nous devons parler à ces filles et les convaincre de ne rien dire, propose Ellie.

— Ça ne marche jamais, ça, réponds-je du tac au tac.

— Je sais bien, mais nous n'avons pas d'autres choix. À moins bien sûr que tu aies une idée géniale ?

Je n'ai aucune idée géniale. Ellie propose sûrement la meilleure option, mais j'ai du mal à accepter que nous devons nous abaisser à poursuivre dans cette voie, qui nous propulsera directement dans le mur de l'humiliation. Nous nous taisons quelques instants et réfléchissons chacune en silence à la situation et à comment nous pourrions la résorber. Nous n'arrivons pas à des conclusions très reluisantes.

— Il faut leur parler, nous n'avons pas le choix, balance Sandrine.

— Et on leur dit quoi ? demande Ellie. Que nous avons effectivement désobéi aux ordres et que nous sommes sorties de l'hôtel pour aller rejoindre un DJ avec qui Emilia avait discuté deux secondes et quart sur Facebook ?

— Plus que deux secondes et quart, quand même, se défend (très mal) Emilia.

Nous l'écoutons à peine, trop concentrées sur l'élaboration de notre plan de sauvetage (après cette journée, je ne veux plus entendre parler de plans pendant au moins une année...).

— Oui, on leur dit la vérité et on leur demande de garder ça pour elles, explique Sandrine.

— On va avoir l'air stupides de les supplier, largue Ellie en prenant sa tête dans ses mains.

— Quelqu'un a le numéro de cellulaire de la rouquine ? demandé-je en reprenant le contrôle des opérations.

— Oui, moi, annonce Ellie.

Nous la regardons, intriguées, jusqu'à ce qu'elle nous apprenne qu'elle a déjà fait un travail avec elle (j'imagine bien qu'elle a fait un travail POUR elle bien plus qu'AVEC elle).

— Parfait, alors texte-la et dis-lui de nous rejoindre en face du magasin, que nous voulons lui parler.

Je sens que les choses n'iront qu'en empirant, mais je ne vois pas d'autres solutions pour nous épargner la divulgation de notre secret. Nous nous levons de nos trônes et je me dirige vers les caisses pour payer les surprises que je rapporte à mes sœurs. J'achète même une bavette à l'effigie de la Petite Sirène pour le bébé à naître d'Ariel, dont je suis la marraine. Nous n'en connaissons pas encore le sexe, mais, même s'il s'agit d'un garçon, je ne crois pas qu'il m'en voudra de l'affubler d'un bavoir pour fille. Peut-être que Maxime désapprouvera, mais ça ne fera alors qu'augmenter mon plaisir.

Nous sortons à peine du repaire de la plus populaire souris du monde quand nous voyons un troupeau de filles imbues d'elles-mêmes poindre dans notre champ de vision. La chef a toujours sa posture de dominatrice. Tête haute, main droite sur la hanche, lunettes de soleil qui lui cachent presque l'entièreté du visage, elle est talonnée par ses asservies, groupées derrière elle, qui essaient d'imiter sa prestance.

— Vous vouliez me voir ? s'exclame-t-elle avec une arrogance qui me dégoûte et m'agresse.

— Oui.

Ellie prend la parole.

— Ce qu'Emilia t'a dit est vrai, mais nous aimerions que tu ne le dises pas à personne.

Ellie s'adresse au chef directement, comme si cette dernière était seule et que les trois filles qui la suivaient n'existaient pas. Elle sait très bien que les autres ne sont que des pions et qu'elles ne prennent jamais de décision sans en demander l'autorisation à leur caïd.

— Je sais que c'est vrai, je l'ai compris en voyant le visage de Maude tout à l'heure. Tu es une très mauvaise menteuse, ma chère, dit-elle en baissant ses lunettes pour me regarder dans les yeux.

Comme moi, j'entends : « Tu es une personne très honnête, ma chère », je lui réponds simplement : « Merci beaucoup » en lui souriant de toutes mes dents.

Elle ne semble pas apprécier beaucoup mon cran, probablement habituée à ce que les gens s'écrasent devant sa puissance. Elle est donc encore plus fière de nous annoncer la suite des événements :

— C'est dommage que nous ne nous soyons pas vues avant, j'aurais pu agir différemment, mais là, il est trop tard.

Elle enlève ses lunettes et nous lorgne avec dédain avant de poursuivre.

— Je viens juste d'aller annoncer la nouvelle à Marie-Josée et à Maxime, ils paraissaient outrés d'apprendre une telle chose, d'apprendre que des étudiantes avaient osé s'enfuir et mettre en doute leur autorité.

Nous ne bougeons plus, mortifiées. Comment a-t-elle pu faire ça ? Existe-t-il des gens à ce point cruels dans l'univers ?

— Je devrais vous remercier, en fait, continue-t-elle. Parce que votre histoire arrivera probablement à faire oublier en partie la petite fête que nous avons organisée hier et qui a légèrement dégénéré.

Elle termine en me gratifiant d'un « Merci beaucoup » sur le même ton que celui que je lui ai lancé précédemment et tourne les talons en faisant signe à ses pantins de la suivre.

Je ne parle pas. Je ne sais trop quoi dire. Emilia non plus n'ose pas s'exprimer. Elle est visiblement très pénitente. Nous nous retournons toutes vers Sandrine, qui essaie probablement de calculer combien une incartade comme celle-là lui coûtera en jours de punition.

— J'en ai pour des années, dit-elle finalement, nous confirmant ce à quoi elle réfléchissait.

J'aurais cru qu'elle aurait pleuré, mais non, elle reste de marbre. Jusqu'à ce qu'Emilia s'excuse une nouvelle fois auprès d'elle, qui la gifle sauvagement. Une vraie gifle, une qui résonne, qui nous fait tressaillir de douleur en la voyant. Après avoir été ainsi punie par son alliée, ma meilleure amie se retourne vers moi, en espérant que je la défende encore.

— Je ne te sauverai plus, Emilia. Te rends-tu compte de ce que j'ai fait pour toi ? De tout ce que j'ai fait pour toi ? Pendant ce voyage auquel je ne voulais pas participer, mais auquel tu m'as finalement convaincue de prendre part, j'ai violé toutes les règles non écrites auxquelles je croyais. Je vous ai accompagnées jusque dans ce bar parce que j'avais peur pour toi, parce que je me sentais responsable. J'ai même pilé sur mon orgueil pour aller parler à Maxime le lendemain, pour qu'il ne nous dénonce pas. Je suis restée avec toi pendant que tu espionnais les frasques de ton nouveau béguin, alors que nous risquions d'être punies pour notre inconvenance. J'ai toujours été là, Emilia, pas juste aujourd'hui; j'ai *toujours* été là. Même quand tu m'as déçue, même quand tu m'as trahie, même quand tu m'as oubliée, j'ai toujours été là. Je ne compte plus le nombre de fois où on m'a demandé pourquoi je me tenais avec quelqu'un comme toi, pourquoi je persévérais à côtoyer quelqu'un qui semblait si peu m'apprécier. Je t'ai toujours défendue, Emilia, j'ai défendu notre amitié à la sueur de mon front, au risque d'être traitée d'inconsciente. Mais là, c'est terminé. Je t'aime beaucoup, mais j'ai l'impression que je n'ai plus d'importance à tes yeux, que je suis devenue ta subordonnée. Je ne veux pas devenir l'une de ces filles qui suivent Camille comme des chiens de poche. Et je ne veux pas qu'elles le deviennent non plus, dis-je en désignant Sandrine et Ellie. Je crois qu'il nous faut passer un peu de temps loin l'une de l'autre, poursuis-je.

Et, juste comme ça, je viens de demander un *break* à ma meilleure amie. Sandrine et Ellie sont bouche bée. J'aurais pensé qu'Emilia aurait fait une scène, qu'elle aurait hurlé que j'allais le regretter, mais elle acquiesce simplement de la tête et repart de son côté. Je la regarde s'éloigner dans la foule et je me demande quelle mouche m'a piquée.

— Wow, fait Ellie, je ne m'attendais pas à ce dénouement du tout.

— Je pense que c'était la bonne chose à faire, dis-je pour essayer de me convaincre.

Nous marchons trente ou quarante minutes dans les rues avoisinantes avant de retrouver l'autobus. Nous nous demandons ce qu'il adviendra de notre petit groupe, des amitiés que nous avions développées en un an. Je sais qu'en abandonnant Emilia, je lui laisse le champ libre pour se transformer en une rebelle incontrôlable. Je sais qu'elle se réfugiera chez Anto et sa bande et qu'ils feront d'elle une sadique délinquante, mais, pour une fois, j'ai choisi mon propre bien-être (et peut-être un peu celui de Sandrine et d'Ellie, qui ne méritaient pas une telle perturbation dans leurs vies tranquilles).

Nous poussons un soupir de découragement avant d'entrer dans l'autobus. Emilia est déjà assise avec ses nouveaux amis au fond du véhicule. Dès que Sandrine, la première d'entre nous à affronter la populace, entre, la foule se met à applaudir. Nous ignorons si c'est pour nous ridiculiser ou pour nous féliciter d'avoir été si ingénieuses et si subtiles au cours de notre évasion, mais nous n'en avons rien à foutre, au fond, de la raison de ce comportement. Nous nous empourprons et nous calons dans notre siège.

Marie-Josée se lève et se retourne pour me dévisager : « Tu me déçois beaucoup, Maude L'Espérance. »

Je n'aurais jamais dû participer à ce voyage. À l'avenir, je m'écouterai davantage.

Je sors un cahier de notes de mon sac à dos et griffonne ces mots pour me libérer : *Je hais les voyages scolaires. Et je hais encore plus tous ces étudiants fébriles qui attendent anxieusement ce moment en rayant les jours sur le calendrier comme s'il était question d'un tournant dans leur vie…*

Remerciements

Merci d'abord à tous ceux qui lisent les aventures de Maude et qui se sont attachés à ce personnage que j'ai créé, et que je me surprends, jour après jour, à aimer davantage. Merci pour votre fidélité et votre confiance.

Je tiens à remercier tous ceux qui ont contribué à ce livre en me racontant des anecdotes de voyages scolaires. Vous m'avez permis de livrer une histoire à la fois crédible et ludique. Souvent, les histoires que l'on croit les plus invraisemblables s'avèrent être vraies... Je l'ai compris en écoutant vos déboires.

Merci à mon collègue Alexandre Beaulieu (nom de code : Le hérisson) qui a joué au réviseur et me supporte dans cette aventure, prétendant même devenir une adolescente lorsqu'il plonge dans mon univers.

Merci à ma cousine Barbara, que je ne remercierai jamais assez, qui, cette fois, a décidé de me suivre jusqu'à New York pour confirmer certains détails quant à la logique de mon histoire et à m'aider à m'imprégner d'un monde que je tentais de décrire.

Et, encore une fois, merci à mes parents et mes amis proches : Elise, Alex, Marie-Anne (tu vois, je sais comment l'écrire ton nom), Emci, Pam, Michèle, Joël et tous les autres, sans qui je n'aurais pas la discipline ni la passion, toujours aussi vive, d'échafauder des histoires.

Maude

vous suggère :

- *Back to the Future* de Robert Zemeckis (1985)
- *Once Upon a Time in America* de Sergio Leone (1984)
- *Scarface* de Brian De Palma (1983)
- *Gangs of New York* de Martin Scorsese (2002)
- *Someone Like You…* de Tony Goldwyn (2001)
- *Donnie Brasco* de Mike Newell (1997)
- *Pretty Woman* de Garry Marshall (1990)
- *Planet of the Apes* de Tim Burton (2001)
- *The Sixth Sense* de M. Night Shyamalan (1999)
- *Night at the Museum* de Shawn Levy (2006)
- *The Usual Suspects* de Bryan Singer (1995)
- *10 Things I Hate About You* de Gil Junger (1999)

Maude

vous conseille d'éviter :

- *John Carter* d'Andrew Stanton (2012)